D1379017

On y va! 2

Karen Edgar

Robert Hart

Diane Masschaele

Line Picard

Michael Salvatori

Sharon Smithies

Lynn Wagner

PEARSON

Addison
Wesley

Une rubrique de Pearson Education Canada

Don Mills, Ontario ■ Reading, Massachusetts ■ Harlow, Angleterre
Glenview, Illinois ■ Melbourne, Australie

On y va! 2

Directrice du département de français langue seconde : Hélène Goulet

Directrice de la rédaction : Anita Reynolds MacArthur

Directrice du marketing : Audrey Wearn

Chargés de projet : Gina Boncore Crone, Nadia Chapin, Lisa Cupoli, Nancy Fornasiero, Jonathan Furze, Elaine Gareau, Andria Long

Production / Rédaction : Tanjah Karvonen; Nadia Chapin, Louise Cliche, Marie Cliche, Léa Grahovac, Micheline Karvonen, Judith Zoltai

Révisions linguistiques : Christiane Roguet et Édouard Beniak, Pauline Cyr

Coordonnatrice : Helen Luxton

Conception graphique : Zena Denchik

Couverture : Dave Cutler/SIS

Illustrations : Alan Barnard, Kevin Cheng/Supercat Illustration, Gordon Sauvé/Three in a Box Inc., Craig Terlson, Margot Thompson/Three in a Box Inc., Russ Willms/Three in a Box Inc., Tracey Wood

Photographie : Ray Boudreau

Recherche photographique : Paulee Kestin

Programme audio : Lorne Green, Producers' Choice Studio, Claude Michel, Louise Naubert

Chansons : Claude Michel

Conception du site Web : Laura Canning

Nous tenons à remercier tout particulièrement les enseignants et enseignantes et les conseillers et conseillères pédagogiques pour leurs précieuses contributions à ce projet.

ISBN 0-201-69791-2

Imprimé au Canada
Ce livre est imprimé sur du papier sans acide.

    G TCP 06 05

Les éditeurs ont tenté de retracer les propriétaires des droits de tout le matériel dont ils se sont servis. Ils accepteront avec plaisir toute information qui leur permettra de corriger les erreurs de références ou d'attribution.

Remerciements

Nous tenons à remercier tout particulièrement les enseignants et enseignantes et les conseillers et conseillères pédagogiques pour leurs précieuses contributions à ce projet.

Jennifer Boucher, Wallace Public School
Silvana Carlascio, St. Basil Secondary School
Cilla Dale, Nipissing-Parry Sound Catholic District School Board
Etienne Ferland, formerly St. Mary's School
Tina Granato, Connaught Elementary School
Beth Hazlitt, Colborne Central School
Cheryl Hill-Wisniewski, Rainbow District School Board
Sandra House, Cayuga School Support Centre
Ginette Krantz, Renfrew County District School Board
Nancy Larocque, St. Catherine Catholic Elementary School
Josie Longano, formerly St. Therese School
Christina Langlois, Mother Teresa School
Elaine Marentette, formerly Thames Valley District School Board
Steve Martel, St. Elizabeth Catholic Elementary School
Maria Massarella, Notre Dame Elementary School
Sharon McCracken, North Hastings Senior Elementary School
Lorraine Carole Millaire, Hollycrest Middle School
Yvonne Parker, South Perth Centennial Public School
Marthe Poirier, Sudbury Catholic District School Board
Priscilla Potvin, Allan Greenleaf School
Ria Pratt, J.L. Mitchener Public School
Nancy Psarakis, W.H. Ballard School
Christine Rees, Spencer Valley Public School
Greg Salter, Echo Place Public School
Claudette Sims, Hamilton-Wentworth District School Board
Jacqueline Smith, Oneida Central School
Sharon Smithies, St. Marguerite Bourgeoys School
David Stevenson, Central Perth Elementary School
Michèle Vinet, D. Roy Kennedy School
Lynn Wagner, Peel District School Board
Nancy Yungblut, Elma Public School

Table des matières

Au casse-croûte

Unité 1

Dans cette unité, tu vas…

PARLER

- des casse-croûte, des mets et des prix.

DÉCOUVRIR

- comment servir les clients d'un casse-croûte;
- comment commander de la nourriture à un casse-croûte.

RÉVISER

- les verbes irréguliers *vouloir*, *pouvoir* et *devoir*;
- l'accord du verbe;
- l'impératif.

LA TÂCHE FINALE

Tu vas créer un concept pour un casse-croûte et le présenter à la classe.

 Visite le site Web à :
www.pearsoned.ca/school/fsl

La magie du riz

Beaucoup plus que le riz !

③

Le roi du poulet

Ici, on mange comme un roi !

④

La coquille du taco

Le Mexique dans votre assiette

⑤

Manges-tu souvent dans les casse-croûte?

Quel est ton casse-croûte préféré?

 Écoute les serveurs de cinq casse-croûte différents.

Identifie chaque casse-croûte.

→ CAHIER p. 6

Le client difficile

Samedi matin, Adam travaille au casse-croûte Triple portion au centre commercial. Souvent, après le travail, Adam et ses ami(e)s de travail sortent ensemble. D'habitude il adore son emploi, mais aujourd'hui...

Parlons!

Avant de lire

- Quels sont tes mets préférés?

- Quels casse-croûte choisis-tu d'habitude?

- Quelles qualités sont importantes pour travailler dans un casse-croûte?

Prenez votre temps, monsieur! Vous et moi, nous avons toute la journée!

Pour vérifier

Réponds oralement aux questions suivantes en phrases complètes.

1. Quel est le nom du casse-croûte?
2. Qu'est-ce que le monsieur aime manger?
3. Combien de portions y a-t-il dans le repas économique?
4. Qu'est-ce que le monsieur ne veut pas manger?
5. Est-ce que le monsieur pense que c'est facile de choisir? Pourquoi?

→ CAHIER p. 10

MOTS-CLÉS

une boisson	un casse-croûte	un centre commercial	un choix
le client / la cliente	commander	des frites	un goûter
d'habitude	plaire	un plat	une portion
du poulet	un repas économique	sortir	une soupe

Ajoute ces nouveaux mots à ta liste de vocabulaire de base.

Révision

Les verbes irréguliers *vouloir*, *pouvoir* et *devoir*

Regarde les phrases suivantes tirées du texte *Le client difficile*.

■ …nous voulons plaire à tout le monde!

■ …vous pouvez prendre trois portions de votre plat préféré…

■ Je dois prendre une décision…

Souvent, les verbes *vouloir*, *pouvoir* et *devoir* sont suivis d'un infinitif.

vouloir	pouvoir	devoir
je veux	je peux	je dois
tu veux	tu peux	tu dois
il / elle / on veut	il / elle / on peut	il / elle / on doit
nous voulons	nous pouvons	nous devons
vous voulez	vous pouvez	vous devez
ils / elles veulent	ils / elles peuvent	ils / elles doivent

RÉFÉRENCES : les verbes irréguliers *vouloir*, *pouvoir* et *devoir*, pp. 168, 170, 171

Les pronoms sujets

toi et moi = nous

vous et moi = nous

les autres clients et toi = vous

tes ami(e)s et toi = vous

Henri et Linda = ils

Adam et ses ami(e)s = ils

Marthe et Suzanne = elles

L'accord du verbe

Regarde les phrases suivantes tirées du texte *Le client difficile*.

- …Adam et ses ami(e)s de travail sortent ensemble.
- Vous et moi, nous avons toute la journée!

Attention! Quand il y a deux sujets, on doit trouver le pronom sujet logique.

RÉFÉRENCES : l'accord du verbe, p. 165

L'impératif

Regarde les phrases suivantes tirées du texte *Le client difficile*.

- Regardez notre menu!
- Finissons cette conversation!
- Attendez!

On utilise l'impératif pour donner un ordre ou pour faire une suggestion. À l'impératif, il y a seulement trois formes : tu, nous et vous. On écrit seulement le verbe.

regarder	finir	attendre
regarde*	finis	attends
regardons	finissons	attendons
regardez	finissez	attendez

* Attention : Pour les verbes en –*er*, on enlève le *s* final de la forme *tu*.

RÉFÉRENCES : l'impératif, p. 161

pratique orale

A Utilise la bonne forme du verbe entre parenthèses pour compléter chaque phrase.

EXEMPLE : Nous ▨▨▨▨ commander notre repas. (pouvoir)
Nous *pouvons* commander notre repas.

1. Je ▨▨▨▨ manger tout de suite. (devoir)
2. Je ne ▨▨▨▨ pas attendre toute la journée. (pouvoir)
3. Est-ce que tu ▨▨▨▨ acheter une crème glacée? (vouloir)
4. Vous ▨▨▨▨ trois portions de frites? (vouloir)
5. Elles ▨▨▨▨ prendre une décision. (devoir)

→ **CAHIER** p. 11

B Utilise la bonne forme du verbe entre parenthèses. Attention aux sujets!

EXEMPLE : Jean-Luc et moi, ▨▨▨▨ au centre commercial. (travailler)
Jean-Luc et moi, *nous travaillons* au centre commercial.

1. Marina et Andrew, ▨▨▨▨ au casse-croûte *La mer*. (manger)
2. Mes parents et moi, ▨▨▨▨ la serveuse. (attendre)
3. Toi et moi, ▨▨▨▨ le même repas. (commander)
4. Ella et David, ▨▨▨▨ le repas économique. (choisir)
5. Mara et toi, ▨▨▨▨ patience avec ce client. (perdre)

C Fais des phrases avec le sujet entre parenthèses. N'oublie pas d'accorder le verbe.

EXEMPLE : Tu vas au restaurant? (tes amis et toi)
Tes amis et toi, vous allez au restaurant?

1. Marthe mange une salade. (Vous et moi)
2. Andrée ne finit pas de travailler à 18 heures. (Henri et François)
3. J'aime les mets chinois. (Mes amis et moi)
4. Vous choisissez du poulet? (Andrée et Marthe)
5. Le serveur parle aux clients. (Toi et moi)

→ **CAHIER** p. 12

D Fais des suggestions aux personnes suivantes. Utilise la bonne forme de l'impératif.

EXEMPLE : (deux amis) Regarder / le menu
Regardez le menu!

1. (ton amie) Attendre / un moment!
2. (un ou une touriste) Commander / un repas!
3. (ton frère) Demander / au serveur!
4. (toi et un groupe d'amis) Aller / au casse-croûte!
5. (ton professeur) Choisir / le repas économique!

→ **CAHIER** p. 13

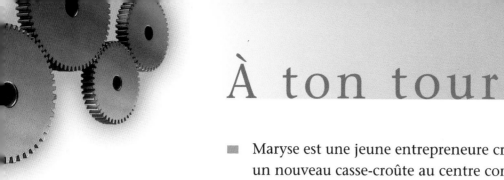

À ton tour

■ Maryse est une jeune entrepreneure créative. Elle veut ouvrir un nouveau casse-croûte au centre commercial dans son quartier. Elle crée un nouveau concept et elle présente ses idées aux juges au centre commercial.

■ Écoute la description de son casse-croûte.

■ Écris les mots qui manquent dans ton cahier.

→ CAHIER p. 14

Casse-croûte
Végé V/G
Le menu
sandwich végé   3$
soupe végé   2$
pizza végé   3$
salade végé   2$
jus ou eau minérale 1$
repas économique   4$
(jus, salade, soupe)

Viens manger au
Casse-croûte végé
V/G !
Pour les végétariens et
ceux qui aiment les légumes...

La tâche finale

■ Tu vas ouvrir un nouveau casse-croûte dans ton école. Crée un concept pour ton casse-croûte.

■ Prépare une présentation pour vendre ton idée aux juges : ta classe!

■ Utilise les questions dans ton cahier pour préparer ta présentation.

■ Présente ton casse-croûte à la classe!

■ Quels sont les trois casse-croûte gagnants?

Ta présentation doit inclure :

■ le nom du casse-croûte;

■ pourquoi tu penses que c'est un concept gagnant;

■ un slogan;

■ le menu et les prix;

■ un repas économique.

Attention!

■ Utilise les verbes *vouloir*, *pouvoir* et *devoir* au moins une fois chacun;

■ Accorde les verbes;

■ Utilise l'impératif.

→ CAHIER p. 15

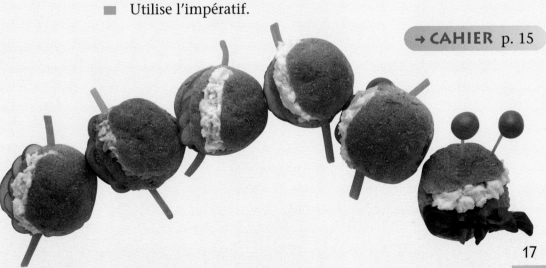

Chasse aux

indices

Unité 2

Dans cette unité, tu vas…

PARLER

- des cas de vol et des éléments d'une bonne enquête.

DÉCOUVRIR

- comment penser comme un ou une détective.

APPRENDRE

- à utiliser le passé composé des verbes réguliers;
- à utiliser quelques verbes irréguliers importants;
- à utiliser les adverbes en *–ment*.

LA TÂCHE FINALE

Tu vas écrire l'histoire d'un vol. Ensuite, tu vas présenter une saynète.

Visite le site Web à :
www.pearsoned.ca/school/fsl

Écoute cette histoire de détective. Quel est le crime? Qui est la victime? Quels sont les indices? Qui sont les suspects? D'après toi, qui est le ou la coupable?

La chanson

volée

Avant de lire

■ Qu'est-ce qu'on doit faire si on veut utiliser le travail d'un ou d'une artiste?

Stratégie
de lecture

Il y a beaucoup de mots en français qui ressemblent à des mots anglais. Souvent ces mots ont le même sens dans les deux langues, mais pas toujours! Il y a des mots qui se ressemblent, mais qui n'ont pas le même sens. On appelle ces mots des *faux amis*.

De : étoile@cyberstar.ca

Date : le 15 octobre
À : branché@parigots.net
Objet : On a volé mon travail!

Salut Dave,

Je suis furieuse! Tu sais que je joue de la guitare et que j'écris mes chansons… Je rêve d'une carrière musicale. Eh bien, hier soir, j'ai assisté au concert *Électrica* avec des amies. Tu connais ce concert? Les groupes amateurs peuvent présenter leurs compositions. Eh bien, au concert, j'ai entendu une de mes chansons! *Les Mouches* ont chanté *Dis-moi tout*. C'est ma chanson, ça! Je ne connais même pas ce groupe! Comment est-ce qu'ils ont volé ma chanson?

J'ai attendu le groupe après le concert. Ils ont refusé de m'écouter. Selon eux, le guitariste du groupe a composé la chanson! Quel mensonge! C'est un vol! Je ne sais pas quoi faire. Est-ce que tu peux m'aider? *Les Mouches* sont coupables, mais je n'ai pas de preuve! Comment est-ce que je peux prouver que j'ai composé *Dis-moi tout*? Je n'ai pas gardé le texte original… As-tu des idées?
Très fâchée,
>:(Cathy

De : **branché@parigots.fr**
Date : le 16 octobre
À : étoile@cyberstar.ca
Objet : Les Mouches ont commis une faute grave!

Bonjour Cathy,
Bien sûr, j'ai des idées. Tu as bien fait de me contacter! Je joue au détective depuis longtemps. Je peux faire une petite enquête.

Premièrement, est-ce que tu as bien réfléchi aux faits? Tu dois retracer les événements. Quel jour as-tu composé la chanson? Est-ce que tu as chanté ta chanson en public? Est-ce qu'il y a des témoins? Les faits, les faits, les faits!

Deuxièmement, est-ce que tu as vu tous les suspects? J'ai fait des recherches et je pense que tu connais au moins une personne dans le groupe **Les Mouches**. Le guitariste s'appelle Kevin Martineau. Tu as probablement rencontré Kevin à la fête de ton ex-petit ami Mike le mois dernier. Il est l'ami de Mike… As-tu chanté ta chanson ce soir-là? Bonne chance et bon courage!
;-) Dave

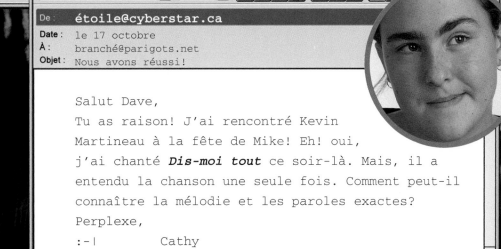

De : **étoile@cyberstar.ca**
Date : le 17 octobre
À : branché@parigots.net
Objet : Nous avons réussi!

Salut Dave,
Tu as raison! J'ai rencontré Kevin Martineau à la fête de Mike! Eh! oui, j'ai chanté **Dis-moi tout** ce soir-là. Mais, il a entendu la chanson une seule fois. Comment peut-il connaître la mélodie et les paroles exactes?
Perplexe,
:-| Cathy

21

De : **branché@parigots.fr**
Date : le 18 octobre
À : étoile@cyberstar.ca
Objet : Une autre découverte

Cathy,

Je ne sais pas, mais j'ai fait une autre découverte! J'ai rencontré Mike hier après-midi. Il sort maintenant avec Julie Carreau. Connais-tu Julie? Mike dit qu'elle a filmé sa fête et qu'elle a préparé une vidéo de la soirée. Il dit aussi qu'il t'a envoyé une copie de la vidéo! Tu dois absolument la regarder pour trouver des indices!

Curieux,

;-)   Dave

De : **étoile@cyberstar.ca**
Date : le 19 octobre
À : branché@parigots.net
Objet : Réponse rapide

Salut Dave!

Mike m'a donné une copie de la vidéo. J'ai regardé toute la cassette hier soir et tu as encore raison. J'ai chanté ma chanson vers 22 h 30. Kevin Martineau a chanté après moi. J'ai quitté la fête avant sa chanson. Je ne comprends pas…

Toujours perplexe,

:-| Cathy

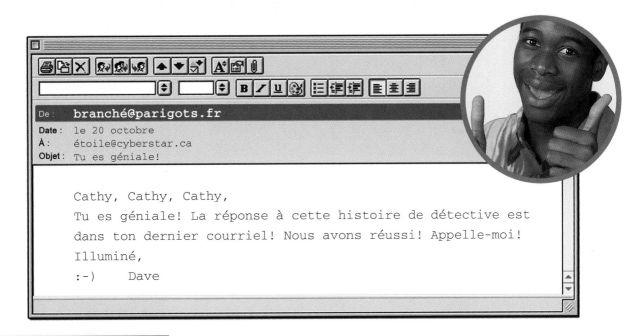

De : branché@parigots.fr
Date : le 20 octobre
À : étoile@cyberstar.ca
Objet : Tu es géniale!

Cathy, Cathy, Cathy,
Tu es géniale! La réponse à cette histoire de détective est dans ton dernier courriel! Nous avons réussi! Appelle-moi!
Illuminé,
:-)   Dave

Pour vérifier

À l'oral, choisis la fin de chaque phrase dans la colonne de droite.

1. Cathy a entendu...

2. Selon *Les Mouches*, le guitariste a composé...

3. Dave a aidé...

4. Cathy a rencontré...

5. Julie a filmé...

a) Cathy à retracer les événements et à identifier les suspects.

b) sa chanson au concert *Électrica*.

c) la fête de Mike et la chanson de Cathy.

d) la chanson *Dis-moi tout*.

e) Kevin à la fête de Mike.

→ CAHIER p. 18

MOTS-CLÉS

coupable	un courriel	une enquête	les faits
garder	un indice	un mensonge	une preuve
prouver	réfléchir	retracer	réussir
un témoin	un vol	voler	

Ajoute ces nouveaux mots à ta liste de vocabulaire de base.

Le passé composé avec *avoir*

Le *passé composé* décrit une action terminée dans le passé. Regarde les phrases suivantes tirées du texte *La chanson volée*.

- Eh bien, au concert, j'**ai entendu** une de mes chansons!
- *Les Mouches* **ont chanté** *Dis-moi tout.*
- Nous **avons réussi**!

Le passé composé est formé de deux mots, l'*auxiliaire* et le *participe passé*. Pour la majorité des verbes, l'auxiliaire est le verbe *avoir* au présent.

le sujet	l'auxiliaire		le participe passé
j'	**ai**		chanté
tu	**as**		écouté
il / elle / on	**a**	+	fini
nous	**avons**		réussi
vous	**avez**		entendu
ils / elles	**ont**		répondu

Les participes passés des verbes en *–er*, *–ir* et *–re*

voler → volé

EXEMPLE : *Les Mouches* ont volé ma chanson.

Les Mouches n'ont pas volé ma chanson.

finir → fini

EXEMPLE : J'ai fini mes recherches.

Je n'ai pas fini mes recherches.

attendre → attendu

EXEMPLE : Cathy a attendu le groupe.

Cathy n'a pas attendu le groupe.

RÉFÉRENCES : le passé composé avec *avoir*, p. 162

A Mets les phrases suivantes au *passé composé*.

> **EXEMPLE :** Elle ▨▨▨▨▨ la chanson. (composer)
> Elle *a composé* la chanson.

> **EXEMPLE :** Cathy ▨▨▨▨▨ un disque compact. (choisir)
> Cathy *a choisi* un disque compact.

> **EXEMPLE :** Dave ▨▨▨▨▨ au courriel de Cathy. (répondre)
> Dave *a répondu* au courriel de Cathy.

1. Nous ▨▨▨▨▨ le concert. (filmer)
2. Ils ▨▨▨▨▨ de parler à Cathy. (refuser)
3. Tu ▨▨▨▨▨ tous les suspects. (identifier)
4. *Les Mouches* ▨▨▨▨▨ la chanson. (chanter)
5. Vous ▨▨▨▨▨ au concert. (assister)

6. Nous ▨▨▨▨▨ nos recherches. (finir)
7. *Les Mouches* ▨▨▨▨▨ à voler la chanson. (réussir)
8. Vous ▨▨▨▨▨ une enquête. (choisir)
9. Tu ▨▨▨▨▨ à la nouvelle. (réagir)
10. J'▨▨▨▨▨ au problème. (réfléchir)

11. Elle ▨▨▨▨▨ *Les Mouches* après le concert. (attendre)
12. Ils ▨▨▨▨▨ la chanson. (entendre)
13. Nous ▨▨▨▨▨ aux questions. (répondre)
14. J'▨▨▨▨▨ le texte original. (perdre)
15. Dave ▨▨▨▨▨ l'appel téléphonique de Cathy. (attendre)

un concert

B Mets les phrases de la Partie A au négatif.

→ CAHIER p. 19

À ton tour

Avec un ou une partenaire, discutez de l'histoire *La chanson volée*. Identifiez les éléments suivants :

- le crime;
- les personnages (le / la victime, les suspects, le / la détective, le / la coupable);
- le lieu du crime;
- les faits;
- les indices;
- la preuve.

Complétez le graphique dans votre cahier. Éliminez deux des trois suspects. Choisissez le ou la coupable. Expliquez vos conclusions.

→ **CAHIER** p. 23

À la tâche

- Avec ton ou ta partenaire, inventez une histoire de vol.
- Utilisez le passé composé pour parler des faits du vol.
- N'oubliez pas d'ajouter les éléments d'une enquête : la victime, les suspects, le lieu du crime, les faits, les indices, le ou la coupable, la preuve.
- Vous pouvez utiliser les idées dans votre cahier ou inventer d'autres idées.

→ **CAHIER** p. 24

Le cas de la planche à roulettes

disparue

Premier acte

Dans la salle des professeurs : il y a une horloge sur le mur. Il est 12 h 30. Madame Brunard et monsieur Roman mangent.

Parlons!

Avant de lire

■ Quand il y a un vol, qu'est-ce qu'on fait pour trouver le ou la coupable?

■ Que fait le ou la coupable pour ne pas être identifié(e)?

MADAME BRUNARD : …Bonne idée, monsieur Roman! Heureusement que nous pouvons discuter de ces détails aujourd'hui. Je sais que vous êtes très occupé.

MONSIEUR ROMAN : Pas de problème, madame! J'ai fermé la bibliothèque à l'heure du midi. Notre réunion est très importante.

MADAME BRUNARD : Oui, le spectacle, c'est demain soir, déjà!

MONSIEUR ROMAN : Qu'est-ce que nous…*(Monsieur Roman s'arrête et écoute le haut-parleur.)*

HAUT-PARLEUR : «Madame Brunard, est-ce que vous pouvez venir au bureau, s'il vous plaît?»

MADAME BRUNARD : *(perplexe)* Oh! non. Monsieur Roman, pouvez-vous m'excuser un moment?

MONSIEUR ROMAN : Certainement, madame. Je vous attends ici.

27

Deuxième acte

Au bureau. Alex attend madame Brunard. Il est visiblement agité.

MADAME BRUNARD : Alex, je suis en réunion! Qu'est-ce qu'il y a?

Madame Brunard
(la directrice adjointe)

ALEX : J'ai mis toutes mes choses dans mon casier ce matin. Je suis sûr que j'ai bien fermé mon cadenas. Quelqu'un a cambriolé mon casier et a volé ma planche à roulettes à midi. J'ai trouvé le cadenas sur le plancher et le casier ouvert.

MADAME BRUNARD : Est-ce que le voleur a pris d'autres objets?

ALEX : Non, seulement ma planche à roulettes.

Alex
(le champion de planche à roulettes)

MADAME BRUNARD : Qui connaît la combinaison de ton cadenas, Alex?

ALEX : *(Il réfléchit et répond lentement.)* Il y a trois personnes, madame. Sébastien, mon meilleur ami, Sonia et Laurent. On a échangé nos combinaisons quand on a fait un projet ensemble.

MADAME BRUNARD : Merci, Alex. Je vais parler à ces trois élèves après les classes.

Monsieur Roman
(le bibliothécaire)

Troisième acte

Dans le bureau de madame Brunard. Il est 15 h 45. Madame Brunard parle à Sébastien, Laurent et Sonia. Les trois élèves sont nerveux.

MADAME BRUNARD : Quelqu'un a volé la planche à roulettes d'Alex à midi. Il a donné sa combinaison à vous trois seulement. Alors… qu'est-ce que vous avez fait pendant l'heure du midi? Sébastien?

Sébastien
(le meilleur ami d'Alex)

Sonia
(une fanatique de planche à roulettes)

SÉBASTIEN : J'ai mangé chez *Monsieur Pizza* aujourd'hui, madame.

MADAME BRUNARD : Tout seul?

SÉBASTIEN : *(Il répond nerveusement.)* Oui, madame. Est-ce qu'Alex pense vraiment que j'ai pris sa planche à roulettes?

MADAME BRUNARD : Reste calme, Sébastien. Et toi, Sonia?

SONIA : Madame, j'aime beaucoup la planche à roulettes d'Alex, mais je ne suis pas une voleuse!

MADAME BRUNARD : Avec qui est-ce que tu as mangé aujourd'hui, Sonia?

SONIA : *(désolée)* J'ai mangé seule, madame. J'ai été dans le parc et j'ai écrit une carte d'anniversaire pour mon amie.

Laurent (le chouchou de la directrice adjointe)

29

MADAME BRUNARD : Euh! Et toi, Laurent?

LAURENT : *(Il réfléchit et répond lentement.)* Seul aussi, madame. J'ai étudié à la bibliothèque. J'ai eu un test de math cet après-midi.

MADAME BRUNARD : Eh bien, mes amis, une planche à roulettes ne roule pas toute seule. Il y a un menteur ou une menteuse ici. On doit découvrir le ou la coupable avant de partir.

à suivre...

Pour vérifier

Réponds oralement aux questions suivantes.

1. Avec qui est madame Brunard?
2. Qu'est-ce qu'on a volé?
3. Qui sont les trois suspects?
4. Pourquoi est-ce que les trois élèves sont des suspects?
5. Est-ce que madame Brunard sait qui est coupable?

→ **CAHIER** p. 26

MOTS-CLÉS

un / une bibliothécaire	un cadenas	cambrioler
un casier	le chouchou	le coupable / la coupable
la directrice adjointe	un menteur / une menteuse	une planche à roulettes
une réunion	seul	un voleur / une voleuse

Ajoute ces nouveaux mots à ta liste de vocabulaire de base.

Les participes passés irréguliers

Regarde les phrases suivantes tirées de la pièce *Le cas de la planche à roulettes disparue*. Identifie le participe passé dans chaque phrase.

- J'ai mis toutes mes choses dans mon casier ce matin.
- Est-ce que le voleur a pris d'autres objets?
- …qu'est-ce que vous avez fait…?
- J'ai été dans le parc…
- J'ai eu un test de math cet après-midi.

Attention aux participes passés irréguliers!

RÉFÉRENCES : le passé composé des verbes irréguliers p. 164

Les adverbes en *–ment*

Regarde les phrases suivantes tirées de la pièce *Le cas de la planche à roulettes disparue*.

- *Certainement*, madame. Je vous attends ici.
- Il réfléchit et répond *lentement*.
- Il répond *nerveusement*.

Pour former les adverbes en *–ment* :

Prends l'adjectif →	Mets l'adjectif → au féminin	Ajoute *–ment*
lent	lente	lentement
nerveux	nerveuse	nerveusement
certain	certaine	certainement

RÉFÉRENCES : les adverbes en *–ment*, p. 155

Pratique orale

A Mets le verbe au *passé composé*.

> **EXEMPLE :** J' ///// dans le parc. (être)
>
> J'*ai été* dans le parc.

1. Ils n' ///// pas ///// de planche à roulettes à midi. (faire)
2. J' ///// un test aujourd'hui. (avoir)
3. Vous n' ///// pas ///// vos livres. (prendre)
4. Alex ///// ses livres dans son casier. (mettre)
5. Nous ///// au parc pendant l'heure du midi. (être)
6. Où est-ce que tu ///// ta planche à roulettes? (mettre)
7. Tu ///// malchanceux! (être)
8. Le voleur ///// d'autres objets? (prendre)
9. Sonia et Laurent ///// une réunion après l'école. (avoir)
10. Qu'est-ce que vous ///// à l'heure du midi? (faire)

> → **CAHIER** p. 27

B Complète les phrases suivantes avec un adverbe en *–ment*.

> **EXEMPLE :** Elle a parlé /////. (nerveux)
>
> Elle a parlé *nerveusement*.

1. La voiture a roulé /////. (lent)
2. Vous avez parlé /////. (calme)
3. Tamara a étudié /////. (sérieux)
4. Tu as répondu /////. (furieux)
5. L'ordinateur a fonctionné /////. (rapide)

> → **CAHIER** p. 28

À ton tour

A Complétez le graphique dans votre cahier.

B En groupes, lisez les trois fins possibles qui suivent. Selon vous, qui est coupable?

Qui a menti

SONIA : C'est Sébastien le coupable! Alex a cassé la planche à roulettes de Sébastien la semaine dernière. Sébastien est encore fâché parce qu'Alex refuse de lui donner de l'argent pour acheter une nouvelle planche à roulettes.

SÉBASTIEN : Pas vrai! C'est Laurent le coupable. Il est jaloux d'Alex parce qu'il impressionne tout le monde avec tous les concours de planche à roulettes qu'il gagne. Madame, Alex vous impressionne aussi. Laurent n'aime pas ça!

LAURENT : Ce n'est pas vrai! C'est Sonia qui est jalouse. Elle veut être championne de planche à roulettes. Alex ne peut pas participer au concours demain, sans sa planche à roulettes. Alors, qui va être la prochaine championne? Sonia!

→ **CAHIER** p. 30

La tâche finale

Continuez à travailler sur votre histoire de vol. Avec un autre groupe de deux élèves, choisissez la meilleure histoire de vol. Créez et présentez une saynète à quatre personnes.

Utilisez :

- le passé composé des verbes réguliers et de quelques verbes irréguliers;
- au moins trois adverbes.

→ **CAHIER** p. 31

Bizarre
et fascinant!

Unité 3

Dans cette unité, tu vas...

PARLER

- d'animaux extraordinaires;
- de l'importance des animaux en médecine.

DÉCOUVRIR

- des faits intéressants au sujet de quelques animaux.

APPRENDRE

- à utiliser le pronom *on*;
- à faire des comparaisons et à utiliser le superlatif des adjectifs;
- à utiliser le dictionnaire.

LA TÂCHE FINALE

Ta classe va fabriquer une courtepointe en papier. Tu vas décrire un animal extraordinaire sur un carré de la courtepointe.

Visite le site Web à :
www.pearsoned.ca/school/fsl

C

F

E

D

■ Peux-tu nommer ces
animaux? Pourquoi sont-ils
extraordinaires?
■ Écoute les descriptions
et associe chaque animal
à sa description.
■ Connais-tu d'autres animaux
extraordinaires?

Le royaume des animaux

Parlons!

Avant de lire

◼ Quels types d'animaux trouves-tu fascinants?

◼ Quels animaux te font peur?

◼ Peux-tu décrire l'apparence, l'habitat, la nourriture, les ennemis et les caractéristiques de certains animaux tropicaux?

Stratégie de lecture

Tu peux trouver le sens d'un mot à l'aide d'un dictionnaire. Mais attention! Un mot peut avoir plusieurs sens. Tu dois trouver le sens approprié au contexte. Par exemple, le mot *mante* a deux sens : vêtement ou animal. Dans ce texte, la *mante* est un animal.

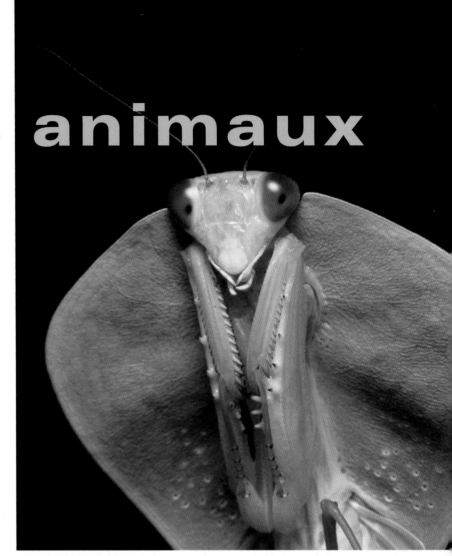

La mante

On trouve la mante dans les forêts tropicales et tempérées. La mante mange seulement des insectes vivants. Imagine! La mante femelle mange aussi le mâle de son espèce! La mante a des ennemis; elle est souvent le repas des oiseaux, des serpents et des chauves-souris.

La mante est une spécialiste en camouflage! Quand elle a faim, elle se cache dans les feuilles de la forêt. Elle attend sa victime et elle reste immobile. Elle est très patiente. Au bon moment, elle attrape sa victime avec ses pattes puissantes.

On l'appelle aussi la mante religieuse parce que ses pattes ressemblent à des mains jointes en prière.

Le caméléon

Le caméléon habite les pays tropicaux. Ce reptile appartient à la famille des lézards et ressemble beaucoup à un dinosaure. Il est solitaire. Il passe toute sa vie dans un seul arbre!

On dit que le caméléon change de couleur selon l'endroit. En réalité, sa couleur varie surtout selon ses émotions! Quand il est calme, il est vert brillant. Quand il est blessé ou malade, il est gris perle. Quand il a peur ou il est fâché, il est noir. Quand il gagne un combat, il est jaune ou rouge orangé.

Les yeux du caméléon sont mobiles. Il peut donc voir devant et derrière lui en même temps! Quand il a faim, il attrape des insectes avec sa langue! Il est très vif. On dit qu'il peut capturer quatre mouches en trois secondes! Il aime aussi les araignées et les papillons.

Le toucan

On trouve ce bel oiseau dans les régions tropicales d'Amérique du Sud. Son bec immense peut être quatre fois plus gros que sa tête, mais il est très léger! Il utilise son bec comme épée dans un combat et pour lancer des baies en l'air. Le toucan est un des oiseaux les plus bruyants du monde. On peut entendre son cri à presque un kilomètre de distance. Il mange des fruits, des insectes et des lézards.

L'anguille

Ce poisson vit dans les rivières de l'Amazonie. L'anguille n'a pas de nageoires, mais elle nage très vite! Elle peut mesurer jusqu'à deux mètres de longueur.

Quand l'anguille a faim, elle chasse d'autres poissons, des insectes aquatiques et des grenouilles. Elle paralyse ses victimes avec une décharge électrique de sa queue. On estime qu'elle peut produire un courant électrique de 600 volts—assez pour électrocuter une personne.

Le chimpanzé

On pense que le chimpanzé est l'animal le plus intelligent du monde. Il communique avec les autres de son espèce par des sons. On sait que 98 pour cent de ses gènes sont identiques aux gènes humains. Comme l'humain, il peut utiliser des outils. Il attrape de la nourriture, comme des fruits, des œufs et des insectes, avec des branches. Pour attraper des insectes, il met une branche dans un trou et il mange les insectes sur la branche, comme une brochette!

Ce mammifère habite les forêts de l'Afrique occidentale. Aujourd'hui, la déforestation est son plus grand ennemi.

Pour **vérifier**

À l'oral, associe les descriptions suivantes aux animaux.

1. C'est un des animaux les plus bruyants du monde.
2. Il change de couleur selon ses émotions.
3. Il peut utiliser des outils pour attraper sa nourriture.
4. Elle paralyse sa victime avant de la manger.
5. Sa nourriture doit être vivante!

→ **CAHIER** p. 35

MOTS-CLÉS

appartenir à	attraper	des baies	le bec
bruyant / bruyante	chasser	une décharge	une espèce
les gènes	la langue	léger / légère	un mammifère
mesurer	une nageoire	un oiseau	la patte
un poisson	puissant / puissante	la queue	ressembler

Ajoute ces nouveaux mots à ta liste de vocabulaire de base.

 → **CAHIER** p. 36

Le pronom *on*

Regarde les phrases suivantes tirées du texte *Le royaume des animaux*.

- *On* trouve la mante dans les forêts tropicales et tempérées.

- *On* dit qu'il peut capturer quatre mouches en trois secondes!

- *On* peut entendre son cri à presque un kilomètre de distance.

O*n* est conjugué à la 3e personne du singulier, comme *il* ou *elle*. On peut signifier :

Nous

Exemples :

Nous étudions les animaux. ↔ On étudie les animaux.

Nous faisons des projets. ↔ On fait des projets.

Les gens

Exemples :

Les gens pensent que le panda est l'animal le plus beau. ↔ On pense que le panda est l'animal le plus beau.

En général, les gens ont peur des vipères. ↔ En général, on a peur des vipères.

Quelqu'un

Exemples :

Quelqu'un fait des recherches sur l'anguille. ↔ On fait des recherches sur l'anguille.

Quelqu'un a donné de la nourriture aux animaux. ↔ On a donné de la nourriture aux animaux.

RÉFÉRENCES : le pronom *on*, p. 157

Réponds aux questions. Utilise le pronom *on* dans tes réponses.
Fais les changements nécessaires.

EXEMPLES : Est-ce que nous allons découvrir des animaux
extraordinaires?
Oui, *on va découvrir* des animaux extraordinaires.

Est-ce que les gens ont peur de l'anguille?
Oui, *on a* peur de l'anguille.

Est-ce que quelqu'un a attrapé le serpent?
Non, *on n'a pas attrapé* le serpent.

1. Est-ce que mes amis et moi pouvons regarder des oiseaux
tropicaux? Oui…

2. Est-ce que nous allons au parc zoologique aujourd'hui? Non…

3. Est-ce que nous choisissons des animaux pour notre projet?
Oui…

4. Est-ce que nous faisons une visite virtuelle des forêts? Oui…

5. Est-ce que Marie et moi pouvons jouer avec le caméléon?
Non…

6. Est-ce que les gens ont toutes les informations nécessaires?
Non…

7. Est-ce que les scientifiques pensent que l'anguille peut
électrocuter une personne? Oui…

8. Est-ce que les gens font attention à l'environnement
tropical? Oui…

9. Est-ce que quelqu'un va mesurer ce reptile? Oui…

10. Est-ce que quelqu'un veut voir le chimpanzé? Oui…

 → CAHIER p. 37

À ton tour

À quel animal ressembles-tu?

- On aime donner des qualités et des défauts humains aux animaux. Fais l'activité dans ton cahier pour découvrir ces qualités et ces défauts!

- Réponds aux questions : À quel animal ressembles-tu? Pourquoi?

- En groupes, jouez à un jeu de mémoire.

- La première personne dit : «Je ressemble à la loutre parce que je suis sociable.»

- La deuxième personne dit : «Kelly ressemble à une loutre parce qu'elle est sociable. Je ressemble à un renard parce que je suis rusée.» Et le jeu continue!

- Défi : Qui peut répéter les réponses de 12 personnes?

→ **CAHIER** p. 40

À la tâche

- Prépare des cartes d'information sur deux animaux différents.

- Utilise le pronom *on* et les verbes suggérés dans ton cahier pour décrire chaque animal.

- Écris cinq phrases descriptives sur chaque animal.

- Commence avec une phrase générale et donne des informations de plus en plus précises.

- En équipe, jouez à *Qui suis-je?*

- Lisez vos phrases une à la fois à voix haute. L'autre groupe doit deviner le nom de l'animal.

- L'équipe gagne le nombre de points correspondant au numéro de la dernière phrase lue.

Stratégies
d'écriture

- Trouve des informations;
- Prends des notes.

→ **CAHIER** p. 41

Au service
de la médecine

Les forêts tropicales couvrent seulement 6 % de la surface totale des continents. On pense qu'elles protègent plus de 50 % des espèces vivantes de la planète!

Parlons!

Avant de lire

▪ Quels animaux contribuent au bien-être des humains? Comment?

▪ Quels animaux contribuent à l'équilibre écologique? Comment?

▪ Quels animaux contribuent à la recherche médicale? Comment?

Stratégie
de lecture

Un mot peut avoir plusieurs sens. Lis toutes les informations dans ton dictionnaire pour trouver le bon contexte.

L'abeille

L'abeille est un des insectes les plus anciens. Elle a des bandes jaunes et noires sur son corps. Elle vit en groupes dans des ruches et elle mange du pollen et du nectar. Elle est active et prudente. L'abeille sécrète du venin. Cette substance toxique est utile pour traiter l'arthrite. On dit aussi que le miel a des propriétés antibiotiques. L'abeille est très belle, mais faites attention si vous avez des allergies!

43

La chauve-souris vampire

La chauve-souris vampire habite l'Amérique centrale et l'Amérique du Sud. Ce mammifère est capable de voler à l'aide de membranes entre ses membres. En général, les chauves-souris mangent des insectes, mais cette espèce extraordinaire est moins commune que les autres. Elle boit du sang de mammifères ou d'oiseaux! Elle coupe la peau avec ses dents très tranchantes et une substance dans sa salive fait couler le sang. Cette substance est utilisée aujourd'hui dans le traitement des maladies du cœur.

Le requin

Le requin a longtemps inspiré la peur. Il vit dans l'océan, souvent près des récifs de corail. Il mange des poissons, des pieuvres et d'autres animaux marins. Ce poisson féroce a une mâchoire puissante et de grosses dents.

Aujourd'hui, on fait des recherches sur les substances dans le cartilage du requin. On dit que ces substances peuvent probablement bloquer le développement du cancer.

Le scorpion

Le scorpion est aussi terrifiant que la vipère! Quand il a faim, il pique sa victime et injecte un venin mortel, comme la vipère.

Le venin du scorpion est très utile dans le domaine de la médecine. On dit qu'il peut servir à combattre le cancer du cerveau.

La vipère

On trouve la vipère au Brésil. Ce serpent mesure de deux à trois mètres et il a vraiment l'air méchant! La vipère mange de petits mammifères. Elle utilise des crochets pour injecter un venin mortel dans ses victimes.

L'expression «méchante comme une vipère» est peut-être juste, mais sa contribution à la médecine est importante. Son venin est un agent chimique aussi extraordinaire que le venin de l'abeille. On utilise ce venin dans un médicament pour traiter les crises cardiaques.

La rainette

Cette grenouille des régions tropicales est très colorée. Elle peut grimper aux arbres parce qu'elle a des disques adhésifs à l'extrémité de ses pattes. Une substance dans la peau de cette grenouille peut soulager la douleur. Cette substance est deux cents fois plus efficace que la morphine. Les peuples de la forêt amazonienne connaissent ce traitement depuis longtemps!

45

La sangsue

La sangsue est un ver carnivore ou un suceur de sang. Elle habite les lacs et les marais. Elle est menacée d'extinction, alors on cultive des sangsues médicinales dans des fermes spéciales.

La sangsue est un des meilleurs traitements pour les blessures. Les pansements modernes aident la guérison de blessures, mais souvent moins bien que ces petites créatures gluantes! On utilise aussi la sangsue pour stimuler la circulation du sang.

Vrai ou faux? À l'oral, corrige les erreurs.

1. On utilise la peau de l'abeille pour soigner les gens.
2. Le venin de la vipère sert à traiter les crises cardiaques.
3. La salive de la chauve-souris sert à traiter les maladies du cœur.
4. La contribution de la rainette à la médecine est nouvelle.
5. Le venin du requin sert à combattre le cancer.

→ **CAHIER** p. 42

MOTS-CLÉS

une blessure	couler	des crochets
la douleur	efficace	gluant / gluante
une grenouille	grimper	une mâchoire
une maladie	menacé(e) d'extinction	un pansement
la peau	une ruche	le sang
un serpent	soulager	toxique
tranchant / tranchante	le venin	un ver

Ajoute ces nouveaux mots à ta liste de vocabulaire de base.

→ **CAHIER** p. 43

Lis les phrases suivantes tirées du texte *Au service de la médecine.*

- Son venin est un agent chimique *aussi extraordinaire que* le venin de l'abeille.

- … cette espèce extraordinaire est *moins commune que* les autres.

- L'abeille est un des insectes *les plus anciens.*

Le comparatif des adjectifs

plus + adjectif + que	Cet insecte est *plus ancien que* ce serpent.
moins + adjectif + que	Cette substance est *moins utile que* ce produit.
aussi + adjectif + que	Ce mammifère est *aussi important que* ce poisson.

Le superlatif des adjectifs

le, la, les + plus + adjectif	Cet animal est *le plus féroce.*
le, la, les + moins + adjectif	Ce serpent est *le moins venimeux.*

RÉFÉRENCES : le comparatif et le superlatif, p. 152

Pratique orale

A Fais une comparaison logique.

> **EXEMPLE :** le panda / dangereux / le scorpion
> Le panda est moins dangereux que le scorpion.

1. la rainette / grosse / le requin
2. le venin de la vipère / utile / le venin de l'abeille
3. la mante / petite / le caméléon
4. les dents de la chauve-souris / petites / les dents du requin
5. la rainette / colorée / le scorpion

des rainettes

B Complète la réponse pour chaque question. N'oublie pas de faire l'accord de l'adjectif.

> **EXEMPLE :** Dans le royaume des animaux, penses-tu que la chauve-souris est la moins sociable? Non, je pense que le caméléon est ⁄⁄⁄⁄⁄⁄ moins ⁄⁄⁄⁄⁄⁄.
> Non, je pense que le caméléon est le moins sociable.

1. Parmi les oiseaux, penses-tu que le canari est le plus bruyant? Non, je pense que le toucan est ⁄⁄⁄⁄⁄⁄ plus⁄⁄⁄⁄⁄⁄.

2. Dans l'eau, penses-tu que les requins sont les moins calmes? Non, je pense que les piranhas sont ⁄⁄⁄⁄⁄⁄ moins ⁄⁄⁄⁄⁄⁄.

3. Dans l'eau, penses-tu que le requin est le plus agile? Non, je pense que l'anguille est ⁄⁄⁄⁄⁄⁄ plus ⁄⁄⁄⁄⁄⁄.

4. Parmi les insectes, penses-tu que les abeilles sont les moins attrayantes? Non, je pense que les bousiers sont ⁄⁄⁄⁄⁄⁄ moins ⁄⁄⁄⁄⁄⁄.

5. Penses-tu que le scorpion est l'arachnide le plus venimeux? Non, je pense que la veuve noire est ⁄⁄⁄⁄⁄⁄ plus ⁄⁄⁄⁄⁄⁄.

À ton tour

- Avec un ou une partenaire, utilisez les cartes d'information préparées dans la section *À la tâche* à la page 42.

- Choisissez les caractéristiques les plus intéressantes pour créer un nouvel animal.

- Dessinez votre animal et décrivez votre animal à la classe : son apparence, son habitat, sa nourriture et ses caractéristiques uniques.

- Utilisez le pronom *on* et au moins cinq comparatifs et superlatifs.

- Après les présentations, votez pour l'animal le plus original!

→ CAHIER p. 46

Stratégie
orale

Pour bien présenter, on doit :
- regarder la classe;
- parler clairement;
- utiliser des images;
- faire des gestes.

La tâche finale

- La classe va créer une courtepointe en papier.

- Utilise tes cartes d'information et les textes dans le livre. Tu peux aussi consulter les encyclopédies et Internet.

- Écris un texte informatif et descriptif.

- Utilise le pronom *on*, des comparatifs et des superlatifs.

- Utilise le dictionnaire pour corriger ton texte.

- Écris la copie finale de ton texte sur un carré de papier.

- Dessine l'animal dans son environnement naturel.

→ CAHIER p. 47

Choix multiples

Unité 4

Dans cette unité, tu vas...

PARLER

- de carrières intéressantes.

DÉCOUVRIR

- des renseignements sur des carrières et des métiers fascinants;
- comment on se prépare pour une carrière ou un métier.

RÉVISER

- le passé composé avec *avoir*;
- le pronom *on*;
- les adverbes en *–ment*.

LA TÂCHE FINALE

Tu vas décrire et présenter le profil d'une personne qui a la carrière ou le métier de tes rêves.

 Visite le site Web à : www.pearsoned.ca/school/fsl

Quelle carrière t'intéresse le plus?

→ CAHIER p. 50

Écoute les cinq élèves. Pour chaque élève, identifie la carrière ou le métier de ses rêves, ses intérêts et ses qualités personnelles.

51

Quelle
carrière?

Parlons!

Avant de lire

Qu'est-ce que tu aimes faire?

Quels sont tes talents?

Dans quel domaine est-ce que tes talents vont être utiles?

Stratégie
de lecture

Il y a beaucoup de mots en français qui ressemblent à des mots anglais. Ces mots ont souvent, mais pas toujours, le même sens dans les deux langues. Dans le dialogue, trouve les mots qui ressemblent à des mots anglais.

LUC : Hé, Martine, tu es toujours là? Qui attends-tu?

MARTINE : Salut Luc, allô Tanya! J'attends mon cousin Robert. Je vais garder ses enfants chez lui ce soir, mais il est toujours en retard.

TANYA : Qu'est-ce qu'il fait?

MARTINE : Il travaille dans le domaine de la télévision et du cinéma comme opérateur de prise de vues, ou cameraman. Robert est très occupé; il doit travailler de longues heures.

LUC : Il est cameraman? C'est justement la carrière qui m'intéresse! C'est une carrière absolument extraordinaire! Où travaille-t-il? Je suis curieux de connaître les détails de son travail.

MARTINE : Il est pigiste. La semaine dernière, il a tourné une annonce publicitaire pour une nouvelle auto japonaise. Il est vraiment imaginatif.

LUC : Oh là là! Quel travail fascinant! Comment est-ce qu'il a choisi cette profession?

MARTINE : Eh bien, il a toujours été très créatif. Je pense qu'il a suivi des cours d'arts visuels, d'informatique et de langues à l'école secondaire. Après, il a pris un cours dans un collège communautaire.

LUC : Ce sont exactement les cours qui m'intéressent! On a parlé de ça dans notre classe d'orientation ce matin! Je veux devenir cameraman… ou opérateur de prise de vues, comme tu dis, Martine.

MARTINE : C'est une bonne idée, tu es aussi très créatif. Moi, je ne suis pas encore certaine de quelle carrière je vais choisir…

TANYA : Mon oncle a un travail super intéressant et créatif. Il fait des bonbons et des chocolats!

LUC : Ah oui? Il est chocolatier? Si on veut des chocolats et des truffes, on sait à qui en demander, hein Tanya?

TANYA : Ne comptez pas sur ça, c'est un long voyage! Il travaille pour une grande compagnie de confiseries en Belgique.

MARTINE : Comment est-ce qu'il a fait pour trouver ce travail?

53

TANYA : Il a pris des cours de cuisine, et il a choisi les desserts comme spécialité. Il a rencontré des gens dans des concours de cuisine, et il a trouvé cet emploi. Mon oncle est très attentif aux détails, et il est vraiment ingénieux… Mais parfois, les résultats sont bizarres!

MARTINE : Par exemple?

TANYA : Mon oncle et sa collègue ont fait des truffes de chocolat noir aux piments rouges avec de petits morceaux de carottes.

MARTINE : Mmm, ça me semble franchement délicieux!

LUC : On a mis des piments rouges et des carottes dans du chocolat noir? Pouah! Ce sont des truffes complètement dégoûtantes! C'est seulement bon pour les lapins, ça!

MARTINE : Miam-miam!

LUC : Oh Martine, toi, tu as toujours faim! Alors, Tanya, est-ce qu'ils ont vendu ces chocolats?

TANYA : Oh non, ils n'ont pas été très populaires…

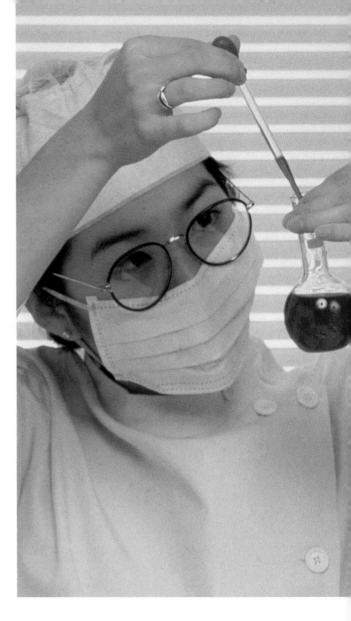

MARTINE : Moi, j'aime manger mais je n'aime pas cuisiner. J'ai toujours aimé les sciences. À l'école secondaire, je vais prendre des cours de sciences, de physique et de mathématiques. Une carrière scientifique, ça m'intéresse beaucoup. Je veux travailler dans un laboratoire où on examine le sang et on étudie les allergies. J'adore la biologie. Je veux faire de la recherche médicale. Toi, Tanya, quels cours vas-tu prendre au secondaire?

TANYA : Je vais certainement continuer le français et l'anglais. J'adore la géographie et l'histoire. Je vais aussi prendre des cours d'espagnol et d'allemand.

LUC : Oh! Toutes ces langues!

TANYA : Oui, je veux devenir agente de bord pour une grande compagnie aérienne. C'est pratique de parler plusieurs langues. On peut communiquer avec beaucoup de monde. Au secondaire, je vais aussi prendre un cours de tourisme.

LUC : Ah oui? Tu vas pouvoir aller en Belgique et manger des truffes aux carottes et aux piments rouges!

TANYA : Peut-être… Moi, j'adore voyager, explorer différents pays et différentes villes. Et j'aime prendre l'avion!

MARTINE : Et rester dans de beaux hôtels, faire des achats dans de grands magasins, manger dans de bons restaurants…

TANYA : Oui, ça aussi… Regardez, il y a un homme dans une auto grise. Il a klaxonné. C'est ton cousin?

MARTINE : Oui, c'est Robert. Salut, les amis!

LUC : À demain!

TANYA : Ciao, Martine!

À l'oral, identifie la personne dans chaque phrase.

1. Il est chocolatier.

2. Il a suivi des cours d'arts visuels, d'informatique et de langue à l'école secondaire.

3. Elle veut devenir agente de bord.

4. Elle veut faire de la recherche médicale.

5. Il veut devenir cameraman, ou opérateur de prise de vues.

→ CAHIER p. 51

une rue en Belgique

MOTS-CLÉS

un agent / une agente de bord	l'allemand
une carrière	une compagnie aérienne
créatif / créative	devenir
un domaine	un emploi
l'espagnol	garder
imaginatif / imaginative	l'informatique
un laboratoire	un opérateur / une opératrice de prise de vues
une orientation	un / une pigiste
une profession	la recherche
tourner	vraiment

Ajoute ces nouveaux mots à ta liste de vocabulaire de base.

 **→ CAHIER** p. 52

Comment ça marche?

Révision

Regarde les phrases suivantes tirées du texte *Quelle carrière?*

Le passé composé avec *avoir*

- Comment est-ce qu'il **a choisi** cette profession?
- Mon oncle et sa collègue **ont fait** des truffes de chocolat noir…
- …est-ce qu'ils **ont vendu** ces chocolats?
- J'**ai** toujours **aimé** les sciences.

Le passé composé exprime un fait accompli.
Pour former le passé composé, on utilise
un verbe auxiliaire au présent + un participe passé.

    (avoir)   (choisir)

Il   **a**   **choisi**   cette profession…

RÉFÉRENCES : le passé composé avec *avoir*, p. 162

Le pronom *on*

- **On** a parlé de ça dans notre classe d'orientation ce matin!
- Si **on** veut des chocolats et des truffes, **on** sait à qui en demander…
- Je veux travailler dans un laboratoire où **on** examine le sang et **on** étudie les allergies.

Le pronom *on* est conjugué à la 3ᵉ personne du singulier comme *il* et *elle*. *On* peut signifier «nous», «les gens en général» ou «quelqu'un», selon le contexte.

RÉFÉRENCES : le pronom *on*, p. 157

57

un studio d'enregistrement

Les adverbes qui se terminent en –*ment*

■ Ce sont **exactement** les cours qui m'intéressent!

■ Mmm, ça me semble **franchement** délicieux!

■ Ce sont des truffes **complètement** dégoûtantes!

On peut former la majorité des adverbes en ajoutant –*ment* à un adjectif au féminin.

RÉFÉRENCES : Les adverbes en –*ment*, p. 154

Pratique **orale**

A Mets les phrases suivantes au *passé composé*.

EXEMPLE : Est-ce que vous ▨▨▨ ▨▨▨ à la journée des carrières? (assister)

Est-ce que vous **avez assisté** à la journée des carrières?

1. J'▨▨▨ ▨▨▨ des renseignements sur cette carrière. (trouver)

2. Antoine ▨▨▨ ▨▨▨ son reportage. (finir)

3. Est-ce que tu ▨▨▨ déjà ▨▨▨ les arts visuels? (étudier)

4. Nous n'▨▨▨ pas ▨▨▨ l'annonce. (entendre)

5. Tasha et Hakim ▨▨▨ ▨▨▨ leurs cours pour l'école secondaire. (choisir)

B Mets les phrases suivantes au *passé composé*.

EXEMPLE : Elle aime la présentation.

Elle **a aimé** la présentation.

1. Je réfléchis à ma carrière.
2. Est-ce que vous gardez votre petit frère?
3. Martine attend son cousin devant l'école.
4. Antonio prend un cours de japonais.
5. Qu'est-ce que nous faisons ce matin?

→ CAHIER p. 54

une horloge japonaise

C Remplace le pronom en italique par *on* et fais tous les changements nécessaires.

EXEMPLE : Est-ce que *nous* chantons bien?

Est-ce qu'**on chante** bien?

1. *Nous* allons visiter des écoles secondaires.
2. Est-ce que *quelqu'un* veut faire une présentation?
3. Normalement, *les gens* pensent à l'avenir.
4. *Nous* travaillons au camp Florette cet été.
5. *Ils* font un tournage pour un film IMAX.

→ CAHIER p. 55

D Complète chaque phrase avec un adverbe formé de l'adjectif entre parenthèses.

EXEMPLE : C'est ▨▨▨▨ le métier qui m'intéresse. (exacte)

C'est **exactement** le métier qui m'intéresse.

1. J'ai ▨▨▨▨ oublié notre rendez-vous. (complète)
2. Vous êtes ▨▨▨▨ en retard. (rare)
3. On a beaucoup de travail ▨▨▨▨. (dernière)
4. Mes amis et moi discutons ▨▨▨▨ de nos carrières préférées. (régulière)
5. Qui va ▨▨▨▨ va ▨▨▨▨. (lente / sûre)

→ CAHIER p. 56

À ton tour

■ Écoute l'histoire de Suzanne et fais l'activité dans ton cahier.

■ Il y a des carrières fascinantes dans tous les domaines, par exemple, les arts, les sciences, les affaires, le gouvernement, l'éducation, et bien d'autres. En classe, créez une liste de carrières que vous trouvez intéressantes.

■ En groupes, discutez de votre carrière préférée. Pensez aux détails de chaque carrière. Vous allez préparer deux cartes de carrières pour mettre dans un dossier de carrières. Sur chaque carte, il faut mettre :

  ■ les qualités requises;

  ■ la formation requise;

  ■ d'autres carrières dans le même domaine.

→ CAHIER p. 58

Stratégie d'écoute

Porte attention :
- aux idées principales;
- aux mots-clés;
- à l'intonation.

Stratégies orales

- Parle clairement, à voix haute;
- fais attention à l'intonation;
- garde les phrases courtes et claires.

La tâche finale

Écoute le profil de Andrew Flynn.

Stratégies
d'écriture

- Fais un plan;
- organise tes idées;
- garde les phrases simples et claires;
- vérifie l'orthographe des mots-clés dans le dictionnaire.

■ Pense à quelqu'un qui a la carrière de tes rêves.

■ Crée des questions à poser à cette personne. Regarde les cartes de carrières préparées dans *À ton tour* pour te donner des idées. N'oublie pas de lui demander quels sont ses intérêts, quelle est sa carrière et quelle formation est nécessaire.

■ Fais…
Option 1 : une entrevue avec cette personne.
Option 2 : une recherche au sujet de cette personne.

■ Utilise l'information obtenue dans cette entrevue ou cette recherche pour créer un profil de cette personne et de sa carrière.

■ Décris cette personne et sa carrière en vingt phrases. Utilise le passé composé.

■ Utilise le profil de Andrew Flynn comme modèle.

■ Échange ton profil avec un ou une partenaire. Faites des corrections.

■ Écris ta copie finale et présente ton profil à la classe.

→ **CAHIER** p. 59

L'ART SANS LIMITES

Unité 5

A

Dans cette unité, tu vas…

PARLER

- de plusieurs formes d'art;
- de nos opinions et de nos préférences dans les arts.

DÉCOUVRIR

- comment créer diverses formes d'art;
- le matériel qu'on utilise pour créer ces formes d'art.

B

D

APPRENDRE

- à utiliser le partitif avec la négation;
- à utiliser le pronom *en*;
- à regarder les photos et les illustrations pour bien comprendre un texte.

C

LA TÂCHE FINALE

Tu vas créer une œuvre d'art et faire une description de ton œuvre. Ensuite, tu vas présenter ton œuvre à l'exposition d'art de ta classe.

Visite le site Web à : www.pearsoned.ca/school/fsl

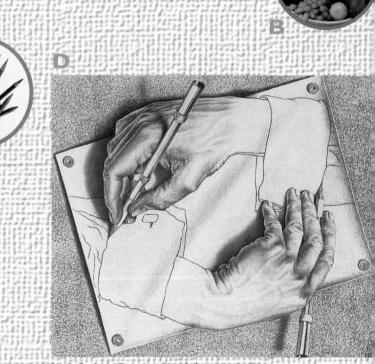

M.C. Escher "Drawing Hands" copyright 2001 Cordon Art B.V.- Baarn-Holland. All rights reserved.

E

Regarde bien les photos et les images. Quelles formes d'art vois-tu? Quel matériel est-ce que les artistes utilisent pour créer ces œuvres d'art? Quelle forme d'art préfères-tu?

 Écoute bien et fais l'activité dans ton cahier.

→ CAHIER p. 62

F

I

G

H

J

L'art pour l'ART

Parlons!

Avant de lire

■ As-tu déjà visité un musée ou une galerie d'art?

■ Quelle forme d'art préfères-tu : l'art abstrait, les portraits, les paysages, les collages, la sculpture? Pourquoi?

■ Quelles sortes de projets artistiques aimes-tu faire?

Stratégie
de lecture

Pour comprendre le sens d'un nouveau mot, regarde les images.

L'ART BRANCHÉ...

Au XXIe siècle, l'artiste branché n'utilise pas de toile, de peinture, de pinceau... Les jeunes artistes d'aujourd'hui s'intéressent à l'art numérique. Le matériel artistique pour cette nouvelle forme? Un ordinateur, une souris, un logiciel et beaucoup d'imagination. Les possibilités sont illimitées. Il n'y a pas de règles. Avec un simple logiciel de base, les artistes peuvent dessiner, colorier et peindre comme des professionnels.

L'art numérique a commencé avec de simples lignes sur un écran. Aujourd'hui, les artistes expriment leur créativité avec de la couleur et beaucoup de détails. Les artistes de ces nouvelles technologies ont fait du progrès! Les élèves de 8e année vont exposer leurs œuvres d'art la semaine prochaine. C'est une exposition collective à ne pas manquer!

Christiane Burton
8e année

LA POTERIE NE SE LIMITE PAS AUX POTS!

Depuis 9 000 ans les artistes mélangent de l'argile et de la créativité pour faire de la poterie et de la céramique. Les élèves de la classe de Mme Chapin continuent cette tradition. Ils sculptent des figurines pour l'exposition collective de la semaine prochaine.

Les figurines ont toujours été une des formes les plus populaires en céramique. On n'a pas de difficulté à trouver le matériel nécessaire : de l'argile, de l'eau, un couteau, une éponge et de l'inspiration. Et il faut de la patience pour ajouter des détails à la figurine.

La plupart des élèves n'ont pas d'expérience en sculpture, mais avec quelques directives, les résultats sont remarquables! Venez admirer la grande variété de figurines.

Maxime Youssef
8e année

L'ART RECYCLÉ, UNE NOUVELLE DIMENSION À LA SCIENCE...

Cette année, les projets de la foire des sciences sont innovateurs : les modèles et les maquettes sont tous faits de matériel recyclé. Les élèves ont récupéré de la ficelle, des boutons, des bouteilles, du métal, du carton et du plastique pour créer des œuvres d'art scientifiques. C'est pourquoi vous pouvez voir les projets à l'exposition collective des arts! Venez voir!

Le comité de la foire des sciences

LES BD ET LES DESSINS ANIMÉS

Tu aimes les bandes dessinées et tu veux en créer? Les membres du club des BD se rencontrent dans la salle 210 tous les mardis après 15 heures. On ne peut pas faire d'art sans matériel, alors apporte des crayons, une gomme, du papier et de l'imagination. En quelques séances, tu peux commencer à créer tes propres BD! Gros nez, petit nez, visage heureux ou fâché, cheveux longs et raides ou courts et frisés—nous sommes là pour tout expliquer. Tu peux aussi apprendre comment dessiner des personnages en mouvement et des dessins animés. Qui sait? Tu es peut-être le prochain Walt Disney!

Notre groupe participe à l'exposition collective. Viens voir!

Yasmin Dandurand
coordonnatrice du club des BD

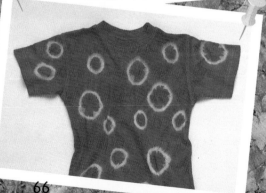

ART PRÊT-À-PORTER!

Quand est-ce qu'un t-shirt devient une œuvre d'art? Venez voir nos créations à l'exposition collective. Un petit groupe d'élèves se réunit une fois par semaine pour apprendre les techniques d'art sur tissu. Notre matériel d'artiste? Pour créer le dessin, on peut utiliser du papier ou un ordinateur. Ensuite, il faut tracer le dessin sur le tissu. Enfin, on décore le tissu avec de la peinture et des objets intéressants, comme des perles. Une artiste locale nous donne des conseils pour notre projet. Soyez créatifs! Transformez vos vêtements en œuvres d'art!

Clara Paglia
8e année

Pour vérifier

1. Combien de formes artistiques y a-t-il dans *L'art pour l'art*?

2. Quelle forme d'art préfères-tu dans *L'art pour l'art*?

3. Quel matériel est-ce que tu aimes utiliser?

4. Quelle forme d'art est la forme artistique la plus pratique? Pourquoi?

5. Dans *L'art pour l'art*, quelle est la forme artistique la plus moderne?

→ **CAHIER** p. 63

MOTS-CLÉS

l'argile	l'art numérique	branché(e)	des dessins animés
une éponge	une exposition	illimité(e)	une œuvre d'art
peindre	la peinture	un pinceau	un pot
la poterie	prêt-à-porter	la sculpture	le tissu
une toile			

Ajoute ces nouveaux mots à ta liste de vocabulaire de base.

→ **CAHIER** p. 64

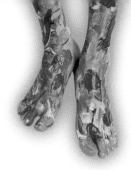

Le partitif avec la négation

Regarde les mots suivants tirés du texte *L'art pour l'art*.

- … un couteau, une éponge…
- … des boutons, des bouteilles,…
- … des crayons, une gomme,…

On utilise les articles indéfinis (*un, une, des*) devant le nom d'une personne ou d'une chose indéterminée.

Regarde les mots suivants tirés du texte *L'art pour l'art*.

- … de l'argile, de l'eau,… et de l'inspiration.
- … de la ficelle,… du métal, du carton, du plastique…
- … du papier et de l'imagination.

On utilise le partitif (*du, de la, de l', des*) devant le nom des choses qu'on ne peut pas compter.

Après une négation, *du, de la, de l', un, une, des* changent à *de* ou *d'*.

EXEMPLE :

- … l'artiste branché utilise *une* toile, *de la* peinture, *un* pinceau…
  … l'artiste branché n'utilise pas *de* toile, *de* peinture, *de* pinceau…
- Il y a *des* règles.
  Il n'y a pas *de* règles.
- La plupart des élèves ont *de l'*expérience en sculpture…
  La plupart des élèves n'ont pas *d'*expérience en sculpture…

RÉFÉRENCES : le partitif avec la négation, p. 156

A Ajoute l'article indéfini ou partitif dans les phrases suivantes.

EXEMPLE : Il ajoute ▨▨▨ couleur à son dessin numérique.
Il ajoute *de la* couleur à son dessin numérique.

1. Une artiste locale nous donne ▨▨▨ conseils.

2. J'applique ▨▨▨ peinture sur une toile.

3. Nous créons ▨▨▨ figurines avec ▨▨▨ argile.

4. Suzanne a utilisé ▨▨▨ carton et ▨▨▨ ficelle recyclés.

5. Avec ▨▨▨ papier, ▨▨▨ crayons et ▨▨▨ imagination, on peut créer ▨▨▨ bandes dessinées.

6. Venez voir ▨▨▨ œuvres d'art.

7. Tu dois avoir ▨▨▨ patience pour ajouter ▨▨▨ détails à la figurine.

8. J'ai récupéré ▨▨▨ métal et ▨▨▨ plastique pour créer mon projet.

9. Les élèves apprennent à dessiner ▨▨▨ personnages.

10. On peut créer une œuvre d'art avec ▨▨▨ tissu.

B Mets les phrases suivantes au négatif.

EXEMPLE : J'utilise *de la* colle sur la maquette.
Je n'utilise pas *de* colle sur la maquette.

1. Luc a du talent.

2. Les artistes numériques ont de l'imagination.

3. Il fait de la céramique.

4. Il y a des pommes dans cette peinture.

5. Je vais voir des tableaux célèbres.

→ **CAHIER** p. 66

À ton tour

Tu as lu des textes sur différents moyens d'expression artistique. Quel est ton moyen d'expression, ou ta forme d'art préférée?

■ Choisis ta forme d'art préférée.

■ Trouve d'autres élèves qui ont une préférence pour cette forme d'art.

■ En groupes, créez une liste du matériel qu'on utilise pour cette forme d'art.

■ Utilisez *du, de la, de l', un, une, des*.

→ CAHIER p. 68

Stratégie
d'écriture

Pour bien écrire, on doit :
• faire un brouillon;
• réviser le brouillon avec un(e) partenaire;
• faire des corrections;
• écrire la version finale.

À la tâche

Exprime-toi! Crée une œuvre d'art pour l'exposition de la classe et décris comment tu as créé cette œuvre.

■ Choisis une forme d'art. Tu peux choisir une des cinq formes décrites dans le texte *L'art pour l'art*, ou tu peux en choisir une autre—la peinture, le collage…

■ Choisis un sujet ou une idée que tu veux exprimer.

■ Fais une liste du matériel et des étapes à suivre. Tu peux consulter ta liste de l'activité *À ton tour* à la page 70 de ton livre.

■ Crée ton œuvre et expose ta création dans la classe.

→ CAHIER p. 69

Le recycl-art

Parlons!

Avant de lire

▪ Est-ce que tu as déjà présenté un objet en classe? As-tu été nerveux / nerveuse? Explique.

▪ Comment est-ce qu'on peut piquer l'intérêt de ses camarades de classe pendant une présentation?

▪ As-tu déjà assisté à une exposition d'art? Quels sont les éléments essentiels d'une bonne exposition d'art?

Bonjour. Je m'appelle Mariko Sagashi et je suis une élève de 8e année. Aujourd'hui, je vous présente mon projet artistique.

Le titre de ce projet est l'Arbre de l'éducation. La base—ou le tronc—représente notre école, et chaque branche représente un métier ou une carrière. Il y en a cinq.

Remarquez les objets qui pendent des branches. Chaque objet symbolise une carrière différente : ces chaussures de danse... ce masque de chirurgie... ce pinceau... ce chapeau de cuisinier... cette calculatrice.

Il y a aussi des feuilles sur l'arbre. J'en ai mis une pour chaque élève de notre classe. Chaque feuille porte le nom d'un ou d'une élève.

Cette sculpture veut montrer l'importance de l'éducation. L'éducation est un point de départ pour l'avenir de chaque élève.

Cette sculpture n'est pas faite de matériel neuf. À l'exception de la colle, j'ai utilisé du matériel recyclé.

J'ai utilisé une grosse branche d'un arbre mort pour la base. J'ai placé la base dans une vieille poubelle remplie de sable.

J'ai mis du papier d'aluminium usagé sur les branches.

J'ai trouvé les symboles un peu partout. Ce sont de vieux jouets. J'en ai trouvé chez moi, chez des amis et dans des ventes de garage.

Les feuilles sont des couvercles de canettes de jus congelé.

J'ai pris mon inspiration d'une exposition d'art recyclé. Les artistes ont créé leurs œuvres de matériel recyclé.

Ce projet est un symbole des élèves de notre classe. Merci de votre attention.

Avec du matériel recyclé, on peut représenter des sujets amusants. On peut aussi en représenter de plus sérieux.

À l'oral, réponds aux questions suivantes en phrases complètes.

1. Pourquoi est-ce que Elena rit quand elle voit Mariko?

2. Quel est le thème de la sculpture de Mariko?

3. Nomme quatre objets recyclés utilisés dans la sculpture.

4. Qu'est-ce que les couvercles de canettes de jus congelé représentent?

5. Qu'est-ce que Elena fait après la présentation de Mariko?

→ **CAHIER** p. 70

MOTS-CLÉS

un couvercle	impressionnant	pendre	représenter
rire	un symbole	un thème	une vente de garage

Ajoute ces nouveaux mots à ta liste de vocabulaire de base.

→ **CAHIER** p. 71

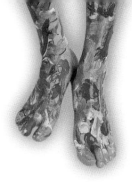

Le pronom *en*

Lis les phrases suivantes tirées du texte *Le recycl-art*.

- ■ Il y en a cinq.
- ■ J'en ai mis une pour chaque élève de notre classe.
- ■ On peut aussi en représenter de plus sérieux.

Le pronom *en* remplace *de* (*du, de la, de l', un, une, des*) et le nom d'une chose dans une phrase.

Au présent, le pronom *en* précède le verbe principal.

- ■ Mariko utilise du matériel recyclé. → Mariko en utilise.

Au passé composé, le pronom *en* précède l'auxiliaire du verbe.

- ■ J'ai trouvé des couvercles. → J'en ai trouvé.

Il précède l'infinitif du verbe quand il y a deux verbes.

- ■ Nous allons voir des projets artistiques. → Nous allons en voir.

ATTENTION : Le pronom *en* peut aussi remplacer un nom précédé d'un nombre ou d'une quantité.

- ■ Tu as choisi trois symboles. → Tu en as choisi trois.
- ■ Il y a beaucoup de projets. → Il y en a beaucoup.

RÉFÉRENCES : le pronom *en*, p. 158

Pratique orale

ATTENTION! Remplace les mots en italique par le pronom *en* pour les Parties A, B et C.

A Réponds aux questions suivantes au positif et au négatif.

> **EXEMPLE :** Est-ce qu'il y a *du matériel recyclé* à l'école?
> Oui, il y en a.
> Non, il n'y en a pas.

1. Est-ce que Ryan applique *de la peinture* sur sa toile?
2. Est-ce que vous avez *des idées*?
3. Est-ce que Pablo utilise *de l'argile* pour cette figurine?
4. Est-ce que nous faisons beaucoup *de bandes dessinées*?

B Réponds aux questions suivantes au positif et au négatif.

> **EXEMPLE :** Est-ce que tu as récupéré *du matériel recyclé*?
> Oui, j'en ai récupéré.
> Non, je n'en ai pas récupéré.

1. Est-ce que Kate a fait *de l'art numérique*?
2. Est-ce que vous avez vu *des sculptures de Rodin*?
3. Est-ce que tu as choisi un *thème* pour ta présentation?

C Réponds aux questions suivantes au positif et au négatif.

> **EXEMPLE :** Est-ce que nous allons trouver *du matériel recyclé*
> dans la classe?
> Oui, vous allez en trouver.
> Non, vous n'allez pas en trouver.

1. Est-ce que tu vas dessiner *des personnages*?
2. Est-ce que nous pouvons utiliser *du matériel neuf*?
3. Est-ce que le club va faire *des bandes dessinées*?

→ CAHIER p. 72

À ton tour

- Imagine que tu es un ou une artiste célèbre.
- Ton œuvre d'art fait partie d'une exposition d'art à ton école. Un ou une journaliste te pose des questions.
- Réponds aux questions dans ton cahier.

Après, imagine que tu es journaliste. Écris cinq questions à poser à un ou une artiste célèbre.

- Avec un ou une partenaire, présentez un dialogue entre un ou une artiste et un ou une journaliste.
- Changez de rôle.

→ **CAHIER** p. 74

La tâche finale

Fais une description d'au moins 20 phrases pour accompagner ton œuvre d'art de l'activité *À la tâche* à la page 70 de ton livre. Dans la description, tu dois :

- te présenter;
- donner un titre au projet;
- expliquer le sujet de ton œuvre;
- décrire le matériel et les étapes de la fabrication;
- parler de ton inspiration;
- utiliser le pronom *en* et le négatif (*ne (n')...pas*) pendant ta présentation;
- répéter ta présentation avec un ou une partenaire;
- présenter ton œuvre à la classe.

Stratégie
orale

Pour bien présenter, on doit :
- utiliser des supports visuels;
- parler clairement.

→ **CAHIER** p. 75

la baie d'Halong
au Viêtnam

Raconte-

Unité 6

Dans cette unité, tu vas…

PARLER

- des phénomènes naturels;
- des éléments d'une légende;
- de comment raconter une bonne histoire.

DÉCOUVRIR

- des légendes.

APPRENDRE

- à utiliser les verbes au passé composé avec *être*;
- à trouver le sens d'un nouveau mot à l'aide de mots-clés.

RÉVISER

- le pronom *en*.

LA TÂCHE FINALE

Tu vas créer et présenter une légende.

 Visite le site Web à :
www.pearsoned.ca/school/fsl

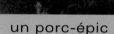

un porc-épic

moi...

■ Écoute bien. Identifie ces phénomènes naturels.
■ Peux-tu expliquer l'origine de chaque phénomène?
■ Pourquoi est-ce que les gens ont inventé des légendes?
■ Fais l'activité dans ton cahier.

→ CAHIER p. 78

un arc-en-ciel

le mont Kilauea aux îles Hawaï

une forêt de conifères

79

La légende du Rocher Percé

Parlons!

Avant de lire

◻ Trouve le village de Percé et la ville de Québec sur une carte.

◻ Regarde les illustrations et identifie le contexte de cette légende.

Stratégie de lecture

On peut comprendre le sens général d'un texte, même si on ne comprend pas tous les mots. Il faut trouver et comprendre les mots les plus importants : ce sont les mots-clés.

Percé est un ancien village de pêcheurs sur la côte de la Gaspésie, au Québec. Au large du village, il y a un immense rocher en forme de navire. Les géologues ont expliqué cette formation ancienne comme phénomène géologique. Mais les gens de la région ont une autre explication. Voici la légende du rocher...

Notre histoire commence en France. Au XVIIIe
siècle, un jeune homme appelé Raymond est entré
dans l'armée française. Très vite, Raymond est devenu
officier. Peu après, il est tombé amoureux d'une belle
fille appelée Blanche.

Les deux jeunes ont décidé de se marier. Mais avant le
mariage, le roi de France a envoyé le régiment du
jeune officier en Nouvelle-France pour défendre ses
territoires. «Je dois passer quelques mois dans ce
pays lointain», a dit Raymond à sa fiancée, «et
après mon retour, on peut se marier.»

Alors, Raymond est parti avec son régiment. Les
saisons ont passé, mais le régiment n'est pas
retourné en France. Blanche est devenue
triste. Un jour, l'oncle de Blanche a décidé
de partir pour faire du commerce à Québec.
Blanche est partie avec lui pour retrouver
son fiancé en Nouvelle-France.

Ils ont passé des jours sur l'océan sans
difficultés. Mais un jour, Blanche a vu
quelque chose à l'horizon—un
bateau de pirate! Le bateau a
approché le navire français et une
bataille a commencé. Les deux
grands mâts du navire sont
tombés à cause des coups
de canon.

Les pirates sont montés à bord, et ils ont attaqué les Français.
Blanche a essayé d'aider les blessés, mais sans succès. Tous les
Français sont morts dans le combat sauf la jeune Blanche.

Quand le capitaine des pirates a vu Blanche, il a déclaré son
intention d'épouser la belle fille. Elle a refusé.

«J'ai déjà un fiancé!»

«Où est-il?»

«Il est allé en Nouvelle-France il y a quelques mois.»

«Ah! La Nouvelle-France…» Et le capitaine a dirigé son navire vers
la ville de Québec.

Tout le long du voyage, Blanche est restée dans une petite cabine
sombre. Un jour, le capitaine a annoncé leur arrivée en
Nouvelle–France. Blanche est sortie de sa cabine. Elle a vu une terre
couverte de forêts et de végétation. Elle est devenue heureuse. «Je
vais enfin retrouver mon fiancé.»

Tout à coup, Blanche a entendu la voix du capitaine derrière elle. Elle a tourné la tête vers lui. Quand elle a vu son regard et son méchant sourire, elle est devenue agitée.

«Voici la Nouvelle-France, mais vous n'allez jamais revoir votre fiancé. Ce soir, on va se marier.»

Blanche a essayé désespérément de se sauver, mais elle est tombée dans la mer. Son corps est descendu au fond du golfe du Saint-Laurent. Blanche est morte.

Le capitaine est devenu silencieux. Il est rentré dans sa cabine, et un grand vent mystérieux a pris le contrôle du navire. Le lendemain, le navire est arrivé au large du village de Percé.

Les pirates ont vu le fantôme de Blanche sur la côte. Ils ont crié de terreur. Le fantôme a levé les mains. Les pirates ont vu un regard de malédiction sur son visage. Blanche a alors baissé les mains. En un instant, le navire est devenu une masse compacte de roc.

Aujourd'hui, on peut toujours voir, au large du village de Percé, le Rocher Percé en forme de navire. De temps en temps, on peut aussi voir le fantôme d'une jeune fille. Elle veut vérifier si les pirates sont toujours là. On dit que les cris des oiseaux de mer sont les cris des pirates condamnés à passer l'éternité sur le navire en roc.

des fous de Bassan

Pour vérifier

1. Pourquoi est-ce que Raymond est parti en Nouvelle-France?
2. Qu'est-ce que Blanche a décidé de faire?
3. Qui est mort dans la bataille entre les Français et les pirates?
4. Pourquoi est-ce que Blanche est tombée dans la mer?
5. Qu'est-ce que les pirates ont vu?

→ CAHIER p. 79

MOTS-CLÉS

à bord	agité(e)	un(e) blessé(e)	condamné(e)
la côte	épouser	un fantôme	une malédiction
un mât	un navire	la Nouvelle-France	un rocher

Ajoute ces nouveaux mots à ta liste de vocabulaire de base.

→ CAHIER p. 80

Le passé composé avec *être*

Le passé composé décrit une action terminée dans le passé. Regarde les phrases suivantes tirées du texte *La légende du Rocher Percé*.

- …Raymond **est parti** avec son régiment.
- Les pirates **sont montés** à bord…
- Blanche **est sortie** de sa cabine.

Le passé composé est formé de l'auxiliaire *être* et du participe passé.

Sujet	Auxiliaire		Participe passé
je	**suis**		all**é(e)**
tu	**es**		all**é(e)**
il	**est**		all**é**
elle	**est**	+	all**ée**
on	**est**		all**é**
nous	**sommes**		all**é(e)(s)**
vous	**êtes**		all**é(e)(s)**
ils	**sont**		all**és**
elles	**sont**		all**ées**

Verbes en *–er* ➜ *é*

EXEMPLE : Nous sommes all**é**s au Rocher Percé.

Nous ne sommes pas all**é**s au Rocher Percé.

Verbes en *–ir* ➜ *i*

EXEMPLE : Raymond est part**i** avec son régiment.

Raymond n'est pas part**i** avec son régiment.

Verbes en *–re* ➜ *u*

EXEMPLE : Les pirates sont descend**u**s au bord de l'eau.

Les pirates ne sont pas descend**u**s au bord de l'eau.

On utilise l'auxiliaire *être* pour former le passé composé de certains verbes. Voici ces verbes :

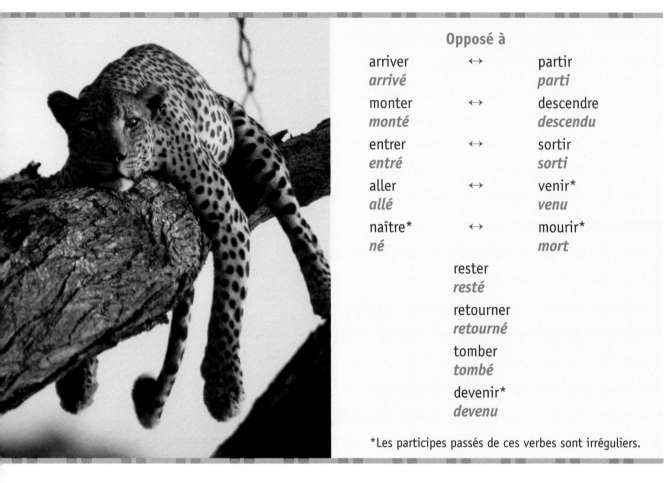

Opposé à

arriver *arrivé*	↔	partir *parti*
monter *monté*	↔	descendre *descendu*
entrer *entré*	↔	sortir *sorti*
aller *allé*	↔	venir* *venu*
naître* *né*	↔	mourir* *mort*

rester
resté

retourner
retourné

tomber
tombé

devenir*
devenu

*Les participes passés de ces verbes sont irréguliers.

Avec ces verbes, le participe passé s'accorde avec le sujet, comme un adjectif s'accorde avec le sujet.

	Masculin singulier	Féminin singulier	Masculin pluriel	Féminin pluriel
aller	**Il** est all**é**.	**Elle** est all**ée**.	**Ils** sont all**és**.	**Elles** sont all**ées**.
partir	**Il** est part**i**.	**Elle** est part**ie**.	**Ils** sont part**is**.	**Elles** sont part**ies**.
descendre	**Il** est descend**u**.	**Elle** est descend**ue**.	**Ils** sont descend**us**.	**Elles** sont descend**ues**.

RÉFÉRENCES : le passé composé avec *être*, p. 162

pratique orale

A Mets les phrases suivantes au *passé composé*.

> **EXEMPLE :** Le capitaine sort de sa cabine.
>
>   Le capitaine est sorti de sa cabine.

1. Blanche ▨▨▨▨ ▨▨▨▨ avec son oncle. (partir)

2. Nous ▨▨▨▨ ▨▨▨▨ en Gaspésie. (aller)

3. Ils ▨▨▨▨ ▨▨▨▨ dans la mer. (tomber)

4. Raymond ▨▨▨▨ ▨▨▨▨ dans l'armée française. (entrer)

5. Toi et tes amis ▨▨▨▨ ▨▨▨▨ en France. (retourner)

6. Les filles ▨▨▨▨ ▨▨▨▨ à Québec. (arriver)

7. Je ▨▨▨▨ ▨▨▨▨ du mât. (descendre)

8. Moi et ma famille ▨▨▨▨ ▨▨▨▨ en Nouvelle-France. (aller)

9. Les pirates ▨▨▨▨ ▨▨▨▨ à bord. (monter)

10. Blanche ▨▨▨▨ ▨▨▨▨ dans une cabine. (rester)

B Mets les phrases de la Partie A au négatif.

> **EXEMPLE :** Le capitaine n'est pas sorti de sa cabine.

→ **CAHIER** p. 82

À ton tour

Voici les éléments importants d'une bonne légende :

- un phénomène naturel;
- le temps;
- les personnages;
- les lieux.

■ Pense à des possibilités pour chaque élément.

■ En groupes de trois, choisissez au hasard un exemple de chaque élément pour créer une légende amusante.

■ Écrivez le plan de votre légende dans le cahier.

■ Si possible, utilisez des verbes au passé composé avec *être*.

■ Présentez votre légende oralement à la classe. Qui a la légende la plus drôle?

→ **CAHIER** p. 86

Stratégie
d'écriture

Utilise ces expressions pour la séquence des événements.

- Il y a très longtemps…
- Un jour…
- Tout à coup…
- Après…
- Alors…
- Enfin…

À la tâche

Tu vas créer le plan de ta propre légende. Avant de commencer à écrire, il faut organiser tes idées. Utilise le plan dans ton cahier.

■ Pour commencer, choisis un phénomène naturel, des personnages, un temps et des lieux.

■ Dans ton cahier, écris cinq phrases pour la situation initiale, les événements et la situation finale.

■ Utilise au moins trois verbes au passé composé avec *être*.

■ Échange ton plan avec un ou une partenaire. Note ses idées et ses suggestions.

Les meilleures histoires sont souvent les plus simples!

→ **CAHIER** p. 87

La légende du sirop d'érable

Paroles et musique : Claude Michel

REFRAIN : D'où vient le bon sirop d'érable
Que nous trouvons sur notre table
D'où vient ce goût incomparable
Qui est aussi très agréable

COUPLETS : Par un beau matin de printemps
Il y a maintenant plus de mille ans
Un petit écureuil vivait
Au milieu d'une belle forêt

Au même moment est arrivé
Un homme qui a longtemps marché
Sans dormir, sans boire, sans manger
Depuis au moins deux bonnes journées

L'écureuil a vu l'homme affamé
Alors, il lui a révélé
Un secret très longtemps gardé
Dans cette forêt d'une rare beauté

REFRAIN : D'où vient le bon sirop d'érable
Que nous trouvons sur notre table
D'où vient ce goût incomparable
Qui est aussi très agréable

COUPLETS : Le petit écureuil a mordu
Le tronc d'un érable qu'il a vu
L'homme a été vraiment surpris
Quand de l'eau sucrée est sortie

L'homme a bu la bonne eau sucrée
Et il a voulu en garder
Dans un chaudron il en a mis
Il a chauffé l'eau toute la nuit

Le matin suivant il a vu
Que l'eau sucrée est disparue
Dans le chaudron il a trouvé
Un bon sirop clair et doré

REFRAIN : Voilà comment le sirop d'érable
Est maintenant sur notre table
Ah! ce bon goût incomparable
Qui est aussi très agréable (bis)

MOTS-CLÉS

affamé(e)	un chaudron	doré(e)	un écureuil	le goût
mordre	le printemps	le sirop d'érable	sucré(e)	le tronc

Ajoute ces nouveaux mots à ta liste de vocabulaire de base.

→ CAHIER p. 88

Comment l'ours a perdu
sa queue...

Parlons!

Avant de lire

☐ Quelles qualités est-ce qu'on associe à l'ours? au renard?

☐ Regarde les illustrations et identifie le contexte de cette légende.

Il y a très longtemps, l'ours était le roi de la forêt. Sa queue était la plus longue et la plus belle de toutes les queues des animaux de la forêt. Tous les jours, les animaux répétaient, «Ours! Ours! Tu es le plus beau, le plus fort. Tu es plus puissant que le lion.»

Stratégie
de lecture

Regarde la liste des mots-clés à la page 93. Essaie de comprendre les mots-clés avant de lire le texte.

91

Le renard était très rusé. Il était aussi très jaloux de la queue de l'ours. Un jour d'hiver, il a décidé de jouer un tour à l'ours. Le renard a trouvé beaucoup de poissons autour d'un trou dans la glace du lac. Il a rencontré l'ours et lui a dit, «Salut, mon ami!»

«Où as-tu trouvé ces poissons? J'en veux aussi!», a dit l'ours, affamé. Il était très glouton.

«J'ai pêché les poissons dans ce trou», a répondu le renard.

«Mais comment?», a continué l'ours. «Tu n'as pas de canne à pêche.»

«J'ai utilisé ma queue», a répondu le renard.

«Ta queue? Peux-tu m'expliquer comment?», a demandé l'ours, l'eau à la bouche.

Alors, le renard a donné des directives à l'ours, le sourire au visage.

«Ce soir, à la belle étoile, tu dois mettre ta queue dans l'eau. Les poissons vont mordre ta queue… Demain matin, tu vas en avoir beaucoup.» Le renard est rentré chez lui et il a ri très fort.

Ce soir-là, l'ours est retourné au trou dans la glace. Il a mis sa queue dans l'eau et il a attendu toute la nuit sans bouger. Il a fait très froid cette nuit-là. L'ours a eu une sensation douloureuse sur sa queue. «Ah, les poissons doivent mordre ma queue», a-t-il pensé. Il a attendu plus longtemps parce qu'il avait très faim et il voulait attraper plus de poissons que le renard.

Le lendemain matin, le renard est revenu au trou dans la glace. Il a entendu l'ours ronfler plus fort que le tonnerre. Le renard a crié très fort. «Ours! Ours! Réveille-toi. Sors ta queue de l'eau. Je veux voir tous les poissons!» L'ours a sauté et il a senti une grande douleur dans sa queue gelée. «Ça fait mal. Je dois avoir beaucoup de poissons sur ma queue.» Il a regardé mais il n'en a pas vu. Il n'a pas vu sa queue non plus! Sa queue gelée est restée dans l'eau. À sa place, il a vu un petit bout de fourrure brune…

«Ma queue! Ma queue! Elle n'est plus la plus belle!», a pleuré l'ours. Le renard rusé a ri comme un fou et il est parti.

Depuis ce jour, l'ours a une petite queue courte…

Pour vérifier

1. Il y a très longtemps, comment était la queue de l'ours?
2. Quel animal a joué un tour à l'ours?
3. Pourquoi est-ce que l'ours voulait des poissons?
4. Qu'est-ce que l'ours a fait pour attraper des poissons?
5. Pourquoi est-ce que l'ours a perdu sa queue?

→ CAHIER p. 89

MOTS-CLÉS

douloureux / douloureuse	la fourrure	gelé(e)	la glace
glouton / gloutonne	jaloux / jalouse	une queue	un renard
ronfler	rusé(e)	un tour	un trou

Ajoute ces nouveaux mots à ta liste de vocabulaire de base.

Comment ça marche?

Révision

Le pronom *en*

Lis les phrases suivantes tirées du texte *Comment l'ours a perdu sa queue…* Quel mot dans le texte est-ce que **en** remplace?

- J'*en* veux aussi!
- … tu vas *en* avoir beaucoup.
- Il a regardé mais il n'*en* a pas vu.

Le pronom *en* remplace *de* (*du*, *de la*, *de l'*, *un*, *une*, *des*) et le nom d'une chose dans une phrase.

RÉFÉRENCES : le pronom *en*, p. 158

Pratique orale

À l'oral, réponds aux questions suivantes. Remplace les mots en italique par le pronom **en**. Attention à la place du pronom dans les phrases!

1. Est-ce que l'ours a une *belle queue*?
2. Est-ce que le renard a attrapé *des poissons*?
3. Est-ce que le renard aime jouer *des tours*?
4. Est-ce que le renard a donné *des directives*?
5. Est-ce que l'ours veut beaucoup *de poissons*?

→ **CAHIER** p. 90

À ton tour

Tu vas utiliser tes idées de la section *À la tâche 1* à la page 88, pour faire un plan illustré de ta légende.

- Ajoute au moins trois événements à ta légende.
- Dessine une petite image pour chaque événement dans ton cahier.
- Écris deux ou trois mots-clés pour expliquer chaque image : un nom, un verbe, un adjectif.

→ **CAHIER** p. 92

La tâche finale

Tu vas publier ta légende!

- Révise ton plan illustré. Ajoute des détails si nécessaire.
- Écris deux ou trois phrases pour chaque image.
- Échange ton brouillon avec un ou une partenaire. Fais des corrections.
- Prépare la version finale de ta légende avec des illustrations. Ta légende peut prendre la forme d'un livre, d'une affiche, d'une bande dessinée ou d'une présentation à l'ordinateur.
- Présente ta légende à la classe.

Stratégie
d'écriture

Pour écrire une histoire, on doit :
- présenter le sujet dans l'introduction;
- développer une idée dans chaque paragraphe;
- trouver un titre.

→ **CAHIER** p. 93

En route

Dans cette unité, tu vas...

PARLER

- des moyens de transport;
- d'un voyage au Canada ou d'un voyage à des pays francophones autour du monde.

DÉCOUVRIR

- les régions du Canada;
- les éléments géographiques;
- des renseignements intéressants au sujet du métro.

APPRENDRE

- à utiliser le pronom *y*;
- à trouver le sens d'un mot selon son contexte.

LA TÂCHE FINALE

Tu vas faire un voyage imaginaire d'un bout à l'autre du Canada ou autour du monde.

Visite le site Web à : www.pearsoned.ca/school/fsl

1

Regarde les images. Tout le monde utilise des transports. Quels moyens de transport utilises-tu?

Écoute les descriptions des moyens de transport. Associe chaque moyen de transport à sa description.

→ CAHIER p. 96

Le défi des transports

Parlons!

Avant de lire

▪ Où as-tu déjà voyagé au Canada?

▪ Comment es-tu allé(e) à cette destination?

▪ Où veux-tu voyager à l'avenir? Comment? Pourquoi?

BENOÎT : Mia!

MIA : Salut Ben. Tu as l'air fatigué!

BENOÎT : J'ai mal dormi et je suis stressé. J'ai beaucoup de difficulté avec notre projet de géographie. C'est peut-être pour ça que j'ai rêvé à des choses bizarres.

MIA : Raconte!

BENOÎT : Hier soir, j'ai travaillé longuement à mon projet et je me suis couché tard. Je me suis endormi immédiatement, mais tout à coup, il y a eu une grande confusion! Une course folle, des bagages…

MIA : Une course folle?

BENOÎT : Oui, une course transcanadienne! Dans mon rêve, on a traversé le Canada pour une compétition!

MIA : Toi et moi? On a traversé le Canada? Comment?

BENOÎT : D'abord, on a commencé à Victoria en Colombie-Britannique.

MIA : Ah! Je veux y aller un jour.

BENOÎT : On a pris un autobus à impériale à Victoria. Ensuite, on a embarqué dans un traversier jusqu'à Vancouver. L'autobus a continué en direction de Banff, et nous avons traversé les Rocheuses jusqu'à Calgary.

Cet autobus rouge à deux étages vient initialement de l'Angleterre.
C'est un autobus à impériale.

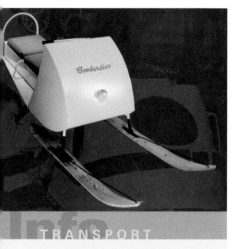

C'est un Canadien, Joseph Armand Bombardier, qui a inventé cette machine capable de traverser de longues distances sur la neige.

MIA : Et à Calgary, qu'est-ce qui est arrivé?

BENOÎT : On y a pris des motoneiges.

MIA : Des motoneiges? Quelle idée…

BENOÎT : On a traversé le reste des prairies. Nous sommes arrivés à Thunder Bay fatigués. On y a échangé nos motoneiges contre un aéroglisseur, et on est parti pour Toronto!

M. Bombardier a inventé la motoneige Ski-Doo en 1959. Le nom original de la motoneige Ski-Doo est Ski-Dog, mais il a décidé de ne pas corriger l'erreur d'orthographe.

MIA : Ma famille et moi, on a déjà voyagé en aéroglisseur pour traverser la Manche.

BENOÎT : Mais nous, on a fait le voyage sur les Grands Lacs. Quand on est arrivé à Toronto, on y a trouvé de beaux vélos de montagne.

MIA : À Toronto, à vélo, avec des milliers d'autos…

BENOÎT : Oui! Nous sommes partis pour Ottawa sur l'autoroute 401 à vélo!

TRANSPORT

L'aéroglisseur se déplace à l'aide d'un coussin d'air qui glisse sur la terre ou sur l'eau. Certains modèles peuvent faire 130 kilomètres à l'heure. C'est l'Anglais Christopher Cockerell qui a perfectionné l'aéroglisseur en 1955.

MIA : Aïe, c'est un mauvais rêve, ça! Un vrai cauchemar!

BENOÎT : Nous y sommes arrivés dans un temps record, mais on est reparti tout de suite pour Montréal. Ensuite on a pédalé jusqu'à Québec! Cette étape a été la plus difficile! De Québec, on a pris une montgolfière.

MIA : Oh! Je rêve d'aller en montgolfière!

BENOÎT : On a suivi le Saint-Laurent jusqu'à la péninsule de Gaspé et on a survolé les Maritimes. Dans l'Atlantique, j'ai vu notre destination finale : Saint-Jean de Terre-Neuve! Et là, quel bruit terrible! On est entré en collision avec un avion!

TRANSPORT

La bicyclette a beaucoup changé depuis 200 ans. Selon une légende, le comte Mède de Sivrac a créé la première bicyclette en 1791 à Paris. Il l'a nommée le célérifère…
Imagine!
Pas de pédales,
pas de guidon!

un célérifère

MIA : Et ensuite?

BENOÎT : Je me suis réveillé! Le pire, c'est que j'ai manqué l'autobus ce matin! Je suis venu à l'école à pied!

MIA : C'est un défi des transports, ton histoire.

BENOÎT : Je dois vraiment finir ce projet de géographie, sinon je vais faire d'autres cauchemars! Je vais à la bibliothèque pour finir mon projet.

MIA : Moi aussi, j'y vais. À tout à l'heure!

Pour vérifier

1. Pourquoi est-ce que Benoît a l'air fatigué quand il arrive à l'école?
2. Combien de moyens de transport est-ce qu'il y a dans le rêve de Benoît?
3. Le voyage imaginaire de Benoît va de l'est à l'ouest, ou de l'ouest à l'est?
4. Quel moyen de transport a été inventé par un Canadien?
5. Quel projet Benoît doit-il finir?

→ CAHIER p. 97

MOTS-CLÉS

un aéroglisseur	un autobus à impériale	un coussin d'air
un défi	embarquer	une étape
les Grands Lacs	un guidon	une montgolfière
une motoneige	un moyen de transport	pédaler
les Rocheuses	survoler	transcanadien(ne)
le transport	traverser	un vélo de montagne

→ CAHIER p. 98

Comment
ça marche?

Le pronom *y*

Lis les phrases suivantes tirées du texte *Le défi des transports*.

- Ah! Je veux **y** aller un jour.
- …on **y** a trouvé de beaux vélos de montagne.
- Moi aussi, j'**y** vais.

Le pronom *y* remplace souvent un lieu. Le pronom *y* précède le verbe.

- Je vais **à la bibliothèque**. → J'**y** vais.

Il précède l'auxiliaire du verbe au passé composé.

- On a trouvé des vélos **à Toronto**. → On **y** a trouvé des vélos.

Il précède le verbe à l'infinitif dans les constructions à double verbe.

- Je veux aller **en Colombie-Britannique**. → Je veux **y** aller.

RÉFÉRENCES : le pronom *y*, p. 159

Pratique orale

Réponds aux questions suivantes au positif et au négatif. Remplace les mots en italique par **y**.

A   **EXEMPLE :** Est-ce qu'elles vont *à Halifax*?
                     Oui, elles **y** vont.
                     Non, elles **n'y** vont **pas**.

1. Est-ce que nous arrivons *à Montréal* à 17 heures?
2. Passes-tu deux semaines *en Nouvelle-Écosse*?
3. Est-ce que vous allez *à Jasper* cet été?
4. Elle va *au centre commercial* ce soir?
5. Les touristes vont-ils *au site olympique*?

B   **EXEMPLE :** Es-tu allé *aux Maritimes* avec ta famille?
                     Oui, j'**y** suis allé.
                     Non, je **n'y** suis **pas** allé.

1. Est-ce qu'ils sont allés *au Manitoba* l'été dernier?
2. Tu es allé *au Musée des beaux-arts* avec ta classe?
3. Avez-vous acheté une carte *dans le métro*?
4. Jeff a travaillé *à la bibliothèque*?
5. Elles sont allées *au Portugal* cet hiver?

un téléférique

C   **EXEMPLE :** Est-ce que Marc veut aller *chez son ami*?
                     Oui, il veut **y** aller.
                     Non, il **ne** veut **pas y** aller.

1. Vous voulez aller *à l'agence de voyages*?
2. Est-ce que Cara va passer un mois *en France*?
3. Doit-on arriver *à l'aéroport* à 19 heures?
4. Veux-tu aller *au parc* à vélo?
5. Vont-ils aller *à Thunder Bay*?

→ **CAHIER** p. 99

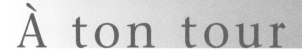

À ton tour

Comment peut-on traverser une chaîne de montagnes?

En groupes, choisissez des moyens de transport pour traverser chaque élément géographique.

- Le premier élève choisit un élément géographique dans la liste et pose la question «Comment vas-tu traverser...»

- Le ou la deuxième élève doit choisir un moyen de transport pour répondre à la question.

- Le ou la deuxième élève choisit un autre élément géographique et pose la question au troisième élève.

- Le choix du moyen de transport doit être logique. Par exemple, on ne peut pas traverser un océan à bicyclette.

  EXEMPLE :

  Élève 1 : Comment vas-tu traverser les plaines?

  Élève 2 : Je vais traverser les plaines en train. (au troisième élève...) Comment vas-tu traverser le fleuve?

  Élève 3 : Je vais traverser le fleuve en canot. (au premier élève...) Comment vas-tu traverser la vallée?

Écoute les élèves parler de leurs voyages à travers des éléments géographiques et fais l'activité dans ton cahier.

Éléments géographiques

une baie	une chaîne de montagnes	des collines
un continent	la côte	un détroit
un fleuve	une île	un lac
une mer	une péninsule	une plaine
un plateau	une rivière	une vallée

→ CAHIER p. 101

À la tâche

Quels endroits du Canada ou du monde francophone t'intéressent? Comment peut-on aller à ces endroits?

- Planifie un voyage imaginaire en cinq étapes, d'un bout à l'autre du Canada, ou autour du monde francophone.

- Pour chaque étape du voyage, tu dois utiliser un moyen de transport différent.

- Tu dois traverser au moins 3 000 kilomètres et une masse d'eau (la baie Georgienne, le lac Athabasca, la baie d'Hudson, le lac Winnipeg, les Grands Lacs, le fleuve Saint-Laurent…)

- Utilise une carte ou un globe terrestre. Planifie ton voyage dans ton cahier.

- Tu peux utiliser des moyens de transport originaux, même bizarres! Laisse aller ton imagination.

→ CAHIER p. 102

À propos du métro

Parlons!

Avant de lire

▨ Le métro est un moyen de *transport en commun*. Quels sont les avantages des transports en commun?

▨ Est-ce que tu utilises les transports en commun? Lesquels? As-tu déjà pris le métro? Où?

→ **CAHIER** p. 103

Stratégie
de lecture

N'oublie pas de chercher le sens des nouveaux mots dans leur contexte.

1

Sais-tu qu'on a construit le premier métro à Londres en 1863? Au début, le système a utilisé des locomotives à vapeur. Imagine que tu es dans un tunnel plein de fumée et de vapeur! Dans ce temps-là, les conducteurs ont eu de la difficulté à voir et à respirer! Depuis la fin du XIXe siècle, le métro fonctionne à l'électricité.

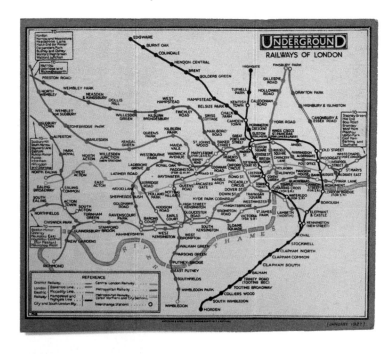

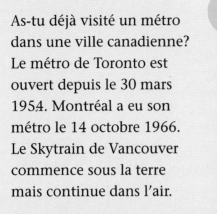

As-tu déjà visité un métro dans une ville canadienne? Le métro de Toronto est ouvert depuis le 30 mars 1954. Montréal a eu son métro le 14 octobre 1966. Le Skytrain de Vancouver commence sous la terre mais continue dans l'air.

2

Si tu vas à Montréal, tu vas remarquer que les 65 stations du réseau sont toutes différentes. On a engagé un architecte différent pour chaque station. Ce métro est renommé partout dans le monde pour son originalité.

3

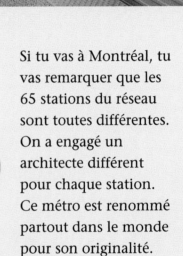

Le New York City Transit transporte environ 2 milliards (2 000 000 000) de voyageurs par année! Il y a plus de 48 000 employés. Et les stations de métro? Il y en a 468.

4

Connais-tu l'ourson Paddington? Selon *Les aventures de Paddington* de Michael Bond, Paddington vient du Pérou. Il est arrivé à la station Paddington du métro de Londres. La famille Brown a trouvé l'ourson et a décidé de l'adopter.

5

6

Si tu visites Paris, tu dois absolument aller voir le métro. Tu vas être en sécurité! Pour assurer la sécurité des passagers, il y a des caméras qui surveillent les portes des voitures. Les conducteurs regardent les écrans dans les stations.

Si tu vas dans le métro de Tokyo aux heures de pointe, tu vas voir les *oshiya*. Les *oshiya* portent un uniforme et des gants blancs. Ils poussent les passagers dans les voitures du métro. Ainsi, les voitures sont remplies au maximum. Imagine!

7

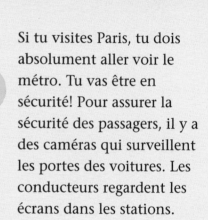

Le plus vaste réseau de métro du monde est à Londres, en Angleterre. Les stations sont si profondes que les habitants de Londres y sont allés pour se protéger des attaques aériennes pendant la Seconde Guerre mondiale.

8

9

Le métro de Paris a ouvert ses portes en 1900 sous le nom «Métropolitain». On peut toujours lire ce nom sur quelques enseignes.

10

Pour voir une foule de New Yorkais, va dans une des 468 stations de métro de New York aux heures de pointe, c'est-à-dire entre 7 heures et 9 h 30 et entre 15 h 30 et 18 heures.

→ **CAHIER** p. 104

À ton tour

La semaine dernière, tu as fait un voyage. Pense à un voyage réel ou imaginaire. Où es-tu allé(e)? Quel moyen de transport as-tu utilisé?

- Avec un ou une partenaire, lisez le dialogue suivant à voix haute.
- Lisez le dialogue encore plusieurs fois et remplacez les mots en caractères gras avec des destinations et des moyens de transport.
- Changez de rôle.
- Mémorisez les deux dialogues les plus originaux et présentez les dialogues devant la classe.

EXEMPLE :

Élève 1 : Où es-tu allé(e)?

Élève 2 : Je suis allé(e) **en Égypte**.

Élève 1 : Quel moyen de transport as-tu utilisé?

Élève 2 : J'y suis allé(e) **en planche à roulettes**.

Élève 1 : Ce n'est pas vrai! On ne peut pas aller en Égypte **en planche à roulettes**.

Élève 2 : Tu as raison! J'y suis allé(e) **en avion**.

La tâche finale

Pense au voyage imaginaire que tu as planifié à la page 105 de ton livre. Imagine que tu as fait ce voyage. Raconte ton voyage au passé composé.

■ N'oublie pas de mentionner les cinq étapes du voyage et les cinq moyens de transport.

■ Utilise une variété de verbes de mouvement : *aller*, *arriver*, *atterrir*, *débarquer*, *descendre*, *embarquer*, *monter*, *partir*, *traverser*, etc.

■ Pour chaque étape du voyage, décris le paysage ou l'endroit. Utilise le pronom *y*.

■ Présente ta description à la classe et utilise une carte ou un globe terrestre pour expliquer les différentes étapes du voyage.

■ Utilise le texte *Le défi des transports* aux pages 98–101 de ton livre comme modèle.

→ CAHIER p. 107

Dans l'eau

Dans cette unité, tu vas...

PARLER

- des activités qu'on pratique dans les océans et les Grands Lacs du Canada.

DÉCOUVRIR

- les épaves de bateaux;
- les artefacts intéressants;
- les parcs marins et les lieux historiques marins du Canada.

RÉVISER

- les verbes au passé composé avec les auxiliaires *avoir* et *être*;
- les comparaisons entre des choses ou des personnes;
- les mots de la même famille.

LA TÂCHE FINALE

Tu vas créer et présenter l'illustration ou la maquette d'un site de plongée imaginaire.

Visite le site Web à :
www.pearsoned.ca/school/fsl

C

D

E

Écoute bien. Quelles activités est-ce qu'on peut faire dans l'eau? Regarde les images et identifie chaque activité.

→ CAHIER p. 110

Dans les parcs du Canada,

on a trouvé...

Le Machault (par Cedric Loth / Parcs Canada

Parlons!

Avant de lire

■ As-tu déjà été au bord de l'eau? Où? Qu'est-ce que tu as fait?

■ Qu'est-ce que tu peux observer dans l'eau?

■ Peux-tu décrire des naufrages célèbres?

Stratégie
de lecture

Tu peux trouver le sens d'un nouveau mot à l'aide des mots de la même famille. Par exemple :

historique → histoire
intéressant → intérêt
nombreux → nombre

Dans le texte suivant, trouve les mots qui font partie d'une famille de mots.

Des touristes ont visité des parcs marins et des lieux historiques intéressants situés dans des océans, des baies et des rivières. Voici quelques commentaires des touristes.

La Restigouche

L'été dernier, on est allé au Québec et on a visité le lieu historique national de la Bataille-de-la-Restigouche. Connaissez-vous l'histoire de cette bataille?

Au XVIIIᵉ siècle, l'Angleterre a déclaré la guerre à la France pour prendre possession de la Nouvelle-France (aujourd'hui le Québec). En 1760, le navire *Le Machault* est arrivé en Nouvelle-France pour défendre le territoire. Il y a eu une bataille sur la rivière Restigouche, en Gaspésie, et le navire français a coulé.

Le Machault a passé plus de 200 ans au fond de la rivière. Des archéologues sont descendus à l'épave du bateau. Ils y ont trouvé 26 canons et de nombreux autres objets.

On a vu un de ces canons et d'autres artefacts comme de la vaisselle et des vêtements. Avec les artefacts, on a réussi à imaginer toute la bataille!

Le parc *Fathom Five*

Au XIXe siècle, des douzaines de bateaux ont coulé dans la baie Georgienne, en Ontario. Ils ont coulé dans les îles au large de Tobermory à cause des formations rocheuses sous-marines. On a visité ces îles dans le parc *Fathom Five* et on y a fait de la plongée sous-marine.

Entre 1858 et 1897, la construction de trois phares a aidé les capitaines de bateaux. On a aussi dessiné la carte maritime de la baie Georgienne. Après, les naufrages sont devenus plus rares.

l'île *Flowerpot*

En 1985, on a créé le parc *Fathom Five*, au large de Tobermory. Ce parc est le premier parc marin national du Canada.

On y a observé un écosystème sous-marin de 200 mètres de profondeur. On y a vu plusieurs des 22 épaves de bateaux naufragés. Dans une épave, on a remarqué quelques artefacts fascinants : les bottes du capitaine, une cloche, un miroir.

115

Les îles *Broken Group*

Les îles *Broken Group* font partie de la réserve *Pacific Rim*, sur la côte ouest de l'île de Vancouver, en Colombie-Britannique. On y a fait une excursion en bateau pour y voir des baleines. Il y a des baleines grises toute l'année dans les eaux du parc *Pacific Rim*. On peut y voir le plus grand nombre de baleines au printemps.

On a photographié la queue des baleines. Une fois, une baleine est montée à la surface de l'eau pour respirer, juste à côté du bateau. On y a vu une fontaine d'eau de près de quatre mètres!

les îles *Broken Group*

une excursion en bateau

Le parc national Wapusk

Au nord du Manitoba, dans la baie d'Hudson, on a visité un parc national magnifique, le parc Wapusk. On a admiré beaucoup d'animaux et d'oiseaux dans le parc. On est resté pour observer des ours polaires dans leur habitat naturel. Les ours polaires ont plongé dans l'eau glacée pour aller chercher leur nourriture. Ce sont de bons nageurs!

Aussi, on a vu un grand troupeau de bélugas dans la baie. Ils sont venus près de la côte. Le béluga est une des baleines les plus adorables. Le mot «béluga» signifie «blanc» en russe. Le surnom du béluga est «le canari de la mer», parce qu'il siffle et chante beaucoup et très fort. Ces petites baleines blanches vivent en groupes et elles sont extrêmement sociables. On a entendu leurs chansons et leurs sifflements. On est parti avec des souvenirs inoubliables!

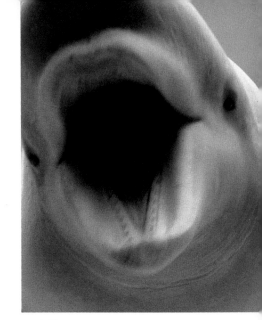

un béluga

Pour vérifier

À l'oral, réponds aux questions suivantes.

1. Comment est-ce qu'on appelle les lieux historiques et les parcs naturels qui sont dans l'eau?

2. Où est la Gaspésie?

3. Quel sport aquatique doit-on faire pour explorer les épaves?

4. Quel moyen de transport est-ce qu'on utilise pour aller voir des baleines?

5. Dans quelle province se trouve le parc national Wapusk?

→ CAHIER p. 111

MOTS-CLÉS

un artefact	une baleine	un bateau	un béluga
la côte	couler	une épave	le fond
au large	un naufrage	un navire	un phare
la plongée	un sifflement	siffler	sous-marin / sous-marine
un troupeau			

Ajoute ces nouveaux mots à ta liste de vocabulaire de base.

→ CAHIER p. 112

Révision

Le passé composé avec *avoir*

Le *passé composé* décrit une action terminée dans le passé. Regarde les phrases tirées du texte *Dans les parcs du Canada, on a trouvé…*

■ Des touristes **ont visité** des parcs…

■ …on **a réussi** à imaginer toute la bataille!

■ On **a entendu** leurs chansons…

Le *passé composé* est formé de deux mots : l'*auxiliaire* et le *participe passé*. Pour la majorité des verbes, l'auxiliaire est le verbe *avoir* au présent.

observer ➜ observé

EXEMPLE : Nous avons observé des bélugas.

Nous n'avons pas observé de bélugas.

choisir ➜ choisi

EXEMPLE : Vous avez choisi une destination.

Vous n'avez pas choisi de destination.

attendre ➜ attendu

EXEMPLE : Elles ont attendu le guide.

Elles n'ont pas attendu le guide.

RÉFÉRENCES : le passé composé avec *avoir*, p. 162

> **Le participe passé de quelques verbes irréguliers**
>
> avoir ➜ eu
>
> être ➜ été
>
> faire ➜ fait
>
> prendre ➜ pris
>
> voir ➜ vu

Le passé composé avec *être*

Le *passé composé* décrit une action terminée dans le passé. Regarde les phrases tirées du texte *Dans les parcs du Canada, on a trouvé…*

- L'été dernier, on **est allé** au Québec…
- On **est parti** avec des souvenirs inoubliables!
- Des archéologues **sont descendus** à l'épave du bateau.

Le *passé composé* est formé de deux mots : l'*auxiliaire* et le *participe passé*. Pour un petit nombre de verbes, l'auxiliaire est le verbe *être* au présent.

Avec ces verbes, on doit faire l'accord du participe passé comme on le fait avec un adjectif.

	Masculin singulier	Féminin singulier	Masculin pluriel	Féminin pluriel
aller	il est allé	elle est allée	ils sont allés	elles sont allées
partir	il est parti	elle est partie	ils sont partis	elles sont parties
venir*	il est venu	elle est venue	ils sont venus	elles sont venues
descendre	il est descendu	elle est descendue	ils sont descendus	elles sont descendues

* Quelques verbes, comme *venir*, ont un participe passé irrégulier.

EXEMPLES : Il est allé au parc marin.

Les touristes ne sont pas partis de l'île.

Les filles sont venues au site en bateau.

Marie-Josée n'est pas descendue du bateau.

RÉFÉRENCES : le passé composé avec *être*, p. 162

A Mets les phrases suivantes au *passé composé*.

EXEMPLE : Tu observes des épaves de vieux bateaux.
Tu as observé des épaves de vieux bateaux.

1. Nous réussissons notre première plongée sous-marine.
2. On entend l'histoire des 22 naufrages.
3. Les archéologues trouvent l'artefact.
4. Il dessine des cartes maritimes.
5. Vous finissez votre recherche des artefacts.

B Mets les phrases suivantes au *passé composé*. Attention aux participes passés!

EXEMPLE : Vous faites une visite.
Vous avez fait une visite.

1. La classe est en voyage à la baie d'Hudson.
2. Je vois des ours polaires au parc national.
3. Nous faisons de la plongée sous-marine.
4. Il y a une bataille sur la rivière Restigouche.
5. Les touristes prennent un bateau pour observer les baleines.

→ CAHIER p. 114

C Mets les phrases suivantes au *passé composé*. Attention à l'accord!

EXEMPLE : Nous allons au parc *Fathom Five*.
Nous sommes allés au parc *Fathom Five*.

1. Le bateau part à 2 heures cet après-midi.
2. Les baleines montent à la surface de l'eau.
3. Tu restes au parc pendant toute une journée.
4. Vous descendez à l'épave du bateau.
5. Je viens au parc parce que j'adore la vie marine.

→ CAHIER p. 116

À ton tour

Les archéologues ont trouvé un canon dans l'épave du bateau *Le Machault*. Ils peuvent trouver de l'équipement, des marchandises, des objets personnels, des objets de valeur et bien d'autres choses. Ce sont des artefacts. Les artefacts permettent aux archéologues de reconstruire l'histoire d'une épave. En groupes, créez une liste d'artefacts qu'on peut trouver dans une épave.

À la tâche

Après la plongée, les archéologues n'ont pas fini leur travail. Pour chaque artefact qu'ils trouvent, les archéologues remplissent une fiche d'information. Imagine que tu es archéologue et que tu as trouvé un artefact dans une épave. Remplis une fiche d'information pour cet artefact.

→ CAHIER p. 118

Stratégie
d'écriture

Consulte le lexique ou un dictionnaire.

Le journal de
Marie-Josée

Parlons!

Avant de lire

▣ Veux-tu faire de la plongée sous-marine? Pourquoi? Pourquoi pas?

▣ Qu'est-ce qu'on peut voir quand on fait de la plongée sous-marine?

▣ As-tu déjà aidé un ou une ami(e) en difficulté?

Stratégie
de lecture

Est-ce que tu peux reconnaître les mots de la même famille?

Exemple :
ami ➜ amitié
plongeuse ➜ plonger
remonter ➜ monter

Voyage à Sechelt

Pendant les vacances, mon amie Luz et moi sommes allées à Sechelt, au nord-ouest de la ville de Vancouver, en Colombie-Britannique. Luz est ma partenaire de plongée. Nous sommes des plongeuses très enthousiastes. Le 8 juillet, j'ai compris pourquoi on fait de la plongée avec un ou une partenaire. C'est la journée où Luz m'a sauvé la vie.

Sur le bateau

Sur le bateau, le guide de plongée a été le plus minutieux. Il a fait la vérification de tout l'équipement. Le groupe a aussi vérifié le plan de plongée. Le guide n'a rien oublié.

Avant de plonger, je suis toujours plus excitée que Luz. Mais, ce jour-là, j'ai été vraiment bête. À cause de mon enthousiasme, je n'ai pas fait attention à mon équipement.

Luz est moins impatiente que moi. Elle a écouté attentivement le guide de plongée et elle a suivi toutes les directives.

À l'intérieur du Chaudière

Nous avons choisi d'explorer un récif artificiel au large de Sechelt. En 1992, on y a coulé le Chaudière, un vieux bateau de la marine canadienne. Il y a cinq récifs artificiels en Colombie-Britannique.

Luz et moi avons fait de nombreuses excursions de plongée, mais l'épave du Chaudière est plus vaste et plus intéressante que les autres. Elle se trouve entre 16 et 35 mètres de profondeur. Nous avons exploré plusieurs des 67 salles.

Nous avons examiné la passerelle de navigation. J'ai imaginé le capitaine aux commandes du bateau! On a aussi exploré la chambre des machines. On a vu le moteur et d'autres pièces d'équipement.

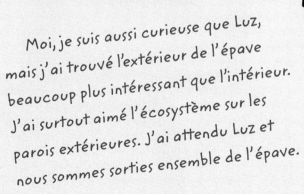

Moi, je suis aussi curieuse que Luz, mais j'ai trouvé l'extérieur de l'épave beaucoup plus intéressant que l'intérieur. J'ai surtout aimé l'écosystème sur les parois extérieures. J'ai attendu Luz et nous sommes sorties ensemble de l'épave.

Luz et moi, nous prenons toujours des photos quand nous faisons de la plongée. J'ai pris des photos de la vie marine abondante sur les parois du bateau. Ce sont les plus belles photos de ma collection.

Alerte à l'extérieur du Chaudière

Luz a photographié toutes sortes d'espèces marines sur l'épave. Pendant ce temps, j'ai repris mes bonnes habitudes de plongeuse et j'ai vérifié mes instruments.

J'ai pensé : «Ce n'est pas possible! Il ne me reste pas beaucoup d'air. Je n'en ai même pas assez pour remonter. C'est ma faute! Je n'ai pas bien vérifié mes instruments avant de plonger. Je suis la plus irresponsable des plongeuses!»

Au moins, je n'ai pas paniqué. J'ai tapé Luz sur l'épaule et j'ai fait le signe conventionnel qui signifie : je n'ai plus d'air.

Le sauvetage

Elle a compris. Elle a partagé sa réserve d'air avec moi et elle a donné le signal au guide. Le guide a fait signe : on remonte. Puis il est venu m'aider à remonter. Nous avons respiré à deux dans le même détendeur. La remontée m'a semblé la plus longue de ma vie.

À Sechelt, j'ai été la plongeuse la moins attentive mais, grâce à Luz, je peux y retourner un jour. Voilà pourquoi c'est une bonne amie!

partager le détendeur

À l'oral, mets les phrases suivantes dans l'ordre chronologique.

1. Marie-Josée a attendu Luz et elles sont sorties ensemble de l'épave.

2. Le guide de plongée fait la vérification de l'équipement.

3. Marie-Josée réalise qu'elle n'a pas assez d'air pour remonter.

4. Le guide et Marie-Josée remontent à deux à l'aide d'un seul détendeur d'air.

5. Luz et Marie-Josée prennent des photos à l'extérieur du *Chaudière*.

→ **CAHIER** p. 119

MOTS-CLÉS

un détendeur	le guide de plongée	une paroi
la passerelle de navigation	le plan de plongée	plonger
un plongeur / une plongeuse	un récif	la remontée
remonter	vérifier	

Ajoute ces nouveaux mots à ta liste de vocabulaire de base.

→ **CAHIER** p. 120

Révision

Le comparatif des adjectifs

Regarde les phrases suivantes tirées du texte *Le journal de Marie-Josée*.

- Avant de plonger, je suis toujours plus excitée que Luz.

- Luz est moins impatiente que moi.

- Moi, je suis aussi curieuse que Luz…

Attention à l'accord du sujet et de l'adjectif!

	Exemples
plus + adjectif + que	Ce bateau est **plus vieux que** les autres.
moins + adjectif + que	Cette épave est **moins intéressante que** les autres.
aussi + adjectif + que	Mes photos sont **aussi belles que** tes photos.

Le superlatif des adjectifs

Regarde les phrases suivantes tirées du texte *Le journal de Marie-Josée*.

- Je suis la plus irresponsable des plongeuses!

- … j'ai été la plongeuse la moins attentive…

Attention à l'accord de l'article et de l'adjectif!

	Exemples
le plus / moins + adjectif	Le guide de plongée est **le plus minutieux**.
la plus / moins + adjectif	J'ai été la plongeuse **la moins attentive**.
les plus / moins + adjectif	Ce sont **les plus belles** photos de ma collection.

RÉFÉRENCES : le comparatif et le superlatif, p. 152

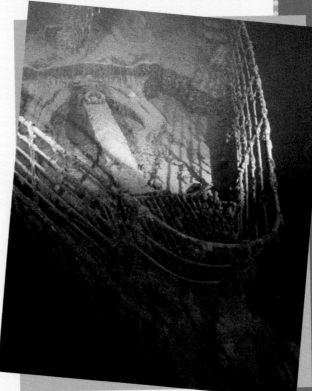

le Titanic

A Combine les deux phrases pour en faire une seule. Utilise le mot entre parenthèses pour former le comparatif.

EXEMPLE : *Le Chaudière* est grand.
Le Titanic est très grand. (plus)
Le Titanic est plus grand que *le Chaudière*.

1. Le lac Huron est profond. L'océan Pacifique est très profond. (plus)

2. Luz est enthousiaste. Marie-Josée est enthousiaste. (aussi)

3. L'épave du *Machault* est vieille. L'épave du *Chaudière* n'est pas très vieille. (moins)

4. Le parc *Fathom Five* n'est pas très grand. Le parc Wapusk est très grand. (plus)

5. L'ours polaire est dangereux. Le béluga n'est pas très dangereux. (moins)

B Utilise le mot entre parenthèses pour former le superlatif.

EXEMPLE : J'ai exploré un grand récif. (plus)
J'ai exploré le plus grand récif.

1. On a visité une vieille épave. (plus)

2. Ce site de plongée est dangereux. (moins)

3. Les plongeuses ont attendu un gros bateau. (plus)

4. Ces artefacts sont importants. (moins)

5. Les bélugas sont adorables. (plus)

→ **CAHIER** p. 121

À ton tour

- Cam et ses amis ont fait une excursion de plongée formidable pour examiner l'épave du *Annie Falconer*.
- Écoute bien le récit de plongée de Cam.
- Écris les mots qui manquent dans ton cahier.

→ **CAHIER** p. 123

→ **CAHIER** p. 123

Stratégies
d'écoute

- Écoute le sens global de l'histoire.
- Fais attention aux mots-clés.

À la tâche

Pense à ton artefact de la section *À la tâche* à la page 121 de ton livre. Où as-tu trouvé cet artefact? Imagine le site de plongée et compose une fiche d'information.

Ta fiche doit contenir les informations suivantes :

- Où est le site? À quelle profondeur?
- Quelle est l'histoire de ce site?
- Quels artefacts as-tu vus? N'oublie pas d'inclure l'artefact que tu as trouvé à la page 124 de ton cahier.

Dessine ton artefact. Utilise au moins un adjectif au comparatif et un adjectif au superlatif.

→ **CAHIER** p. 124

→ **CAHIER** p. 124

Stratégies
d'écriture

- Utilise le lexique ou un dictionnaire.
- Utilise les Références.

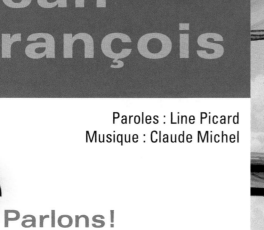

La ballade de Jean-François

Paroles : Line Picard
Musique : Claude Michel

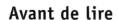

Parlons !

Avant de lire

- As-tu déjà voyagé en bateau? Où es-tu allé(e)?

- Est-ce que des adolescents ont travaillé sur des navires au XVIIIe siècle?

- En 1750, quels sont les dangers de l'océan?

- Est-ce que tous les voyages ont réussi?

Stratégie
de lecture

Quand tu ne connais pas un mot, essaie d'identifier les mots de la même famille. Trouve un mot connu dans le mot inconnu.

école ➜ écolier
promis ➜ promettre

En juin mille sept cent cinquante trois
Le nouveau mousse Jean-François
Sur le navire *La belle allure*
A commencé son aventure.

Vers la Nouvelle-France il a navigué
Pour aller vivre comme pionnier
Ce jour-là Jean a commencé
Un journal qu'il a bien gardé

Jean a promis à ses parents :
«Je vais écrire de temps en temps»
Pour parler des journées passées
Depuis qu'il n'est plus écolier.

J'ai eu seize ans au mois de mai
De mes voyages c'est le premier
Sur un bateau
Qui va sur l'eau,
Sur l'océan
Qui est si grand.

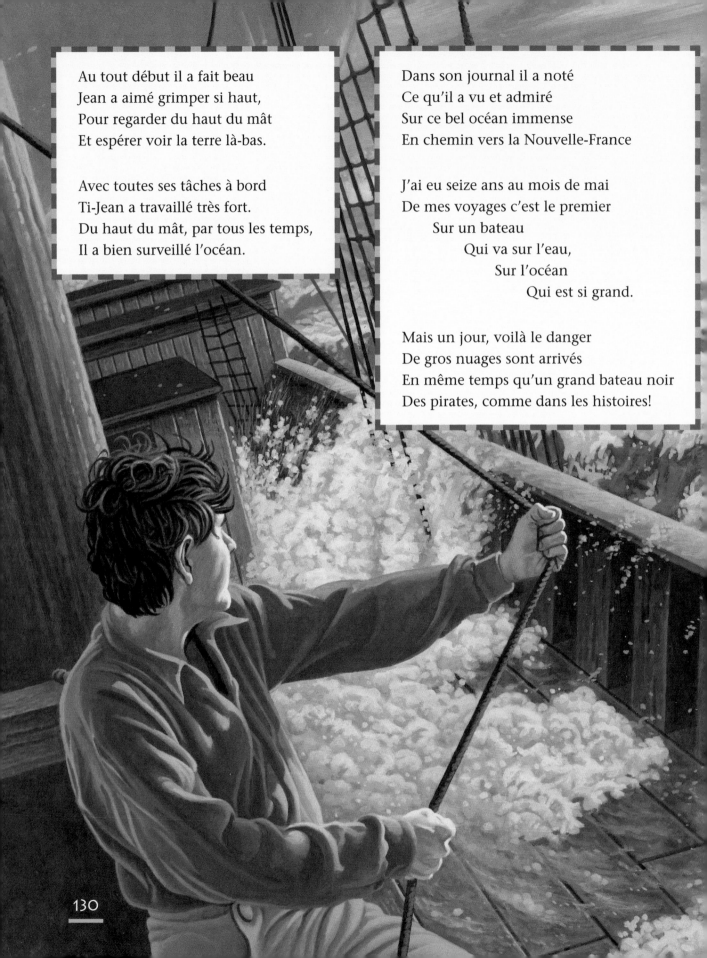

Au tout début il a fait beau
Jean a aimé grimper si haut,
Pour regarder du haut du mât
Et espérer voir la terre là-bas.

Avec toutes ses tâches à bord
Ti-Jean a travaillé très fort.
Du haut du mât, par tous les temps,
Il a bien surveillé l'océan.

Dans son journal il a noté
Ce qu'il a vu et admiré
Sur ce bel océan immense
En chemin vers la Nouvelle-France

J'ai eu seize ans au mois de mai
De mes voyages c'est le premier
Sur un bateau
Qui va sur l'eau,
Sur l'océan
Qui est si grand.

Mais un jour, voilà le danger
De gros nuages sont arrivés
En même temps qu'un grand bateau noir
Des pirates, comme dans les histoires!

De ces dangers quel est le pire?
Les vagues qui chavirent les navires
Les grands vents, la pluie, la tempête
Ou l'attaque des méchants pirates?

C'est la tempête qui a gagné
Les pirates n'ont pas attaqué
Sous les vagues ils ont disparu
On ne les a jamais revus

J'ai eu seize ans au mois de mai
De mes voyages c'est le premier
    Sur un bateau
        Qui va sur l'eau,
        Sur l'océan
           Qui est si grand.

Avec les plus gros coups de vent
L'océan est devenu violent
Sous les vagues plus hautes que le mât
Le bateau a pris l'eau cent fois

Jean-François le plus jeune matelot
A pu écrire ses derniers mots :
«Avec cette tempête qui fait rage
La belle allure va faire naufrage!

Je n'ai pas vu la Nouvelle-France
Je l'imagine et je pense
À ma famille et mes amis.
Adieu à vous et à la vie.»

J'ai eu seize ans au mois de mai
De mes voyages c'est le dernier
     Sur un bateau
        Qui va sur l'eau,
           Sur l'océan
              Qui est si grand.

La belle allure n'a pas eu de chance. Le navire a fait naufrage dans le golfe du fleuve Saint-Laurent. Des archéologues subaquatiques ont trouvé le journal de Jean-François dans un coffre au fond de l'eau.

Pour vérifier

À l'oral, réponds aux questions suivantes.

1. Quel âge a eu Jean-François?
2. Qu'est-ce que Jean-François a écrit pendant son aventure?
3. Quels dangers Jean-François a-t-il vus?
4. Pourquoi est-ce que *La belle allure* a fait naufrage?
5. Est-ce que Jean-François a vu la Nouvelle-France?

→ **CAHIER** p. 125

MOTS-CLÉS

chavirer	un coup de vent	grimper	le mât
un matelot	un mousse	naviguer	un pionnier
le pire	surveiller	les vagues	

Ajoute ces nouveaux mots à ta liste de vocabulaire de base.

À ton tour

Regarde l'illustration d'un site de plongée imaginaire dans ton cahier.

 Écoute la présentation de l'archéologue et fais l'activité.

→ **CAHIER** p. 126

La tâche finale

Prépare une illustration ou une maquette d'un site de plongée imaginaire. Dans ton illustration ou ta maquette, on doit trouver les éléments suivants :

■ l'épave d'un bateau naufragé;

■ l'écosystème autour de l'épave;

■ des artefacts.

Utilise ton artefact de l'activité *À la tâche 1* à la page 121 de ton livre et ton site d'épave de l'activité *À la tâche 2* à la page 128 de ton livre pour créer ton illustration ou ta maquette.

Ensuite, prépare une présentation orale de 20 phrases.

■ Dans ta présentation, utilise le passé composé pour décrire ton expédition et le site.

■ Utilise des phrases comparatives et des phrases superlatives.

■ Échange le texte de ta présentation orale avec celui d'un ou d'une partenaire et corrige son texte.

→ **CAHIER** p. 127

Stratégie
orale

Utilise un modèle comme exemple.

Autour de toi

Dans cette unité, tu vas...

PARLER

- du bénévolat;
- des jeunes qui contribuent à leurs communautés.

DÉCOUVRIR

- comment tu peux aider ta communauté.

RÉVISER

- le passé composé avec *avoir*;
- le passé composé avec *être*;
- le pronom *en*;
- le pronom *y*;
- le partitif et la négation.

LA TÂCHE FINALE

Tu vas faire la description d'un projet de bénévolat et la présenter à la classe.

Visite le site Web à :
www.pearsoned.ca/school/fsl

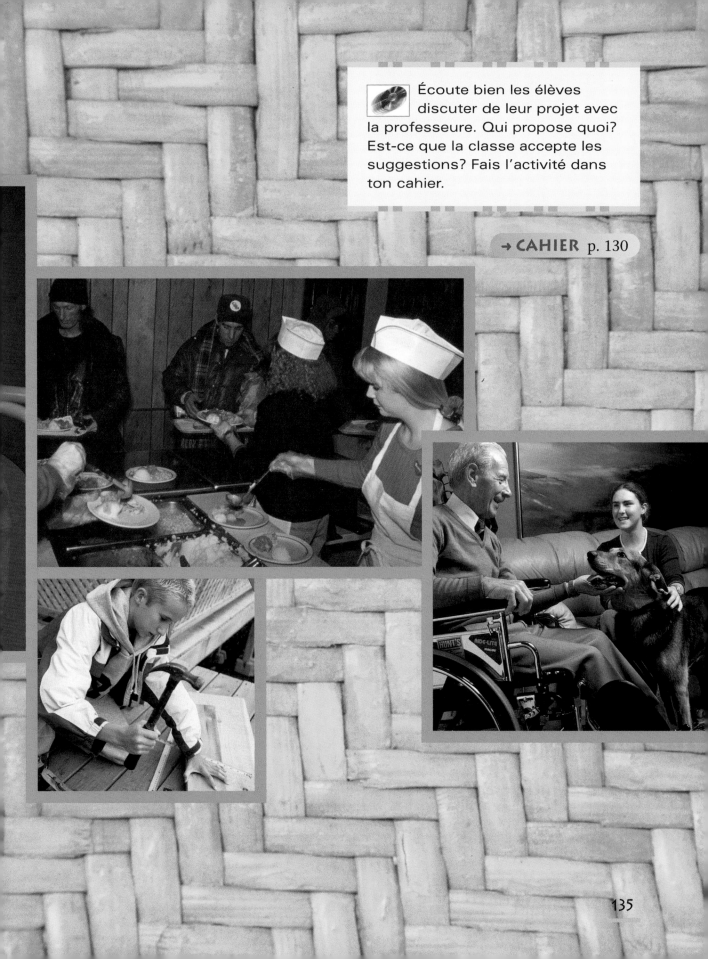

Écoute bien les élèves discuter de leur projet avec la professeure. Qui propose quoi? Est-ce que la classe accepte les suggestions? Fais l'activité dans ton cahier.

→ CAHIER p. 130

Des jeunes

qui changent le monde…

Parlons!

Avant de lire

- As-tu déjà fait du bénévolat?

- Est-ce que tu connais quelqu'un qui fait du bénévolat?

- Pourquoi est-ce qu'on fait du bénévolat?

Stratégies
de lecture

- Quand tu trouves un nouveau mot, pense aux mots de la même famille.
- Tu peux aussi penser aux mots anglais qui ressemblent au nouveau mot français.

  Par exemple : une communauté, un projet, un refuge

de Charline Assad

C'est compliqué d'être jeune aujourd'hui! Avec les devoirs, les examens, les sorties et les soucis, on a peu de temps libre. Mais il est important d'en trouver pour aider les autres.

Seuls ou en groupes, ces jeunes ont fait du bénévolat pour aider d'autres jeunes qui ont moins de chance qu'eux. Voici trois exemples de jeunes qui ont fait des choses formidables pour aider les gens dans leurs communautés et à travers le monde.

Valises pour les jeunes

Les déménagements sont toujours difficiles, surtout quand on est dans une famille d'accueil. Les enfants sont placés dans des familles d'accueil en raison de problèmes dans leurs familles.

À l'âge de 10 ans, Aubyn Burnside a appris de sa sœur, une assistante sociale, que les enfants en familles d'accueil déménagent à peu près sept fois. Elle a été surprise d'apprendre que souvent ces jeunes n'ont même pas de valise. Ils doivent déménager leurs affaires dans un sac de poubelle en plastique! Elle a décidé de faire quelque chose dans sa communauté en Caroline du Nord.

Aubyn y a commencé une campagne : «Valises pour les jeunes». Avec l'aide de ses amis, elle a fait de la publicité. Elle en a parlé dans son école, chez les scouts et dans les clubs. Elle est allée mettre des affiches à l'épicerie. Grand succès! Elle voulait avoir 200 valises : elle en a déjà plus de 3 000! «Valises pour les jeunes» est devenu une campagne nationale. On a demandé à Aubyn : «Comment peut-on rendre le monde meilleur?» Elle a répondu : «Écoutez les besoins des autres. Prenez l'habitude d'aider les autres. Vous pouvez commencer même quand vous êtes jeunes!»

Libérez les enfants!

Qu'est-ce qu'un jeune de 12 ans peut faire pour aider les enfants à l'autre bout du monde? Beaucoup de choses! À l'âge de 12 ans, Craig Kielburger a lu un article sur l'exploitation et la mort d'un jeune travailleur du même âge. Craig est parti en Asie pour y découvrir les conditions de travail de ces enfants qui n'ont pas d'enfance. De cette expérience, l'organisation «Libérez les enfants!» est née. C'est un mouvement de jeunes qui luttent contre l'exploitation des enfants. Après des pétitions, des discours et plusieurs voyages dans les pays les plus pauvres, Craig a convaincu des chefs politiques et des chefs d'entreprises de traiter le problème. Le but de son organisation est d'encourager les nations du monde à considérer l'éducation et la protection des enfants comme une priorité. Seuls les jeunes de moins de 18 ans peuvent être membres : il y en a 100 000 impliqués dans les activités de l'organisation dans 27 pays. Comme dit Craig : «On peut changer les choses. Ce n'est pas nécessaire d'attendre d'être adulte.»

Équipez un champion!

Grâce à l'esprit d'équipe, on gagne : c'est l'expérience de la classe de Russ Matthews au Ranch Ehrlo, une école pour les jeunes en difficulté à Régina, en Saskatchewan. Les jeunes y jouent au hockey. Tout le monde aime le hockey, mais beaucoup de jeunes n'ont pas d'équipement ni les moyens d'en acheter. Les élèves du Ranch Ehrlo ont décidé de faire une collecte d'équipement de hockey usagé. Ils distribuent cet équipement aux jeunes qui en ont besoin.

Les élèves du Ranch Ehrlo ne sont pas seulement arrivés à leur but, ils sont allés beaucoup plus loin! Leur projet est devenu un événement annuel. La journée «Équipez un champion!» est maintenant un énorme succès. Ils ont équipé 1 400 joueurs. Et les patins? Ils en ont distribué 3 500 paires.

Les élèves du Ranch Ehrlo ont reçu le Prix de bronze du Duc d'Édimbourg pour leur travail de bénévolat et la création de la ligue de hockey.

Réponds oralement aux questions suivantes.

1. Combien de fois à peu près est-ce que les enfants en familles d'accueil déménagent?

2. Où est-ce que Aubyn Burnside a parlé de sa campagne?

3. Qui a créé l'organisation «Libérez les enfants!»?

4. Qu'est-ce que les élèves du Ranch Ehrlo distribuent pendant la journée «Équipez un champion!»?

5. Qui a gagné le Prix de bronze du Duc d'Édimbourg?

→ **CAHIER** p. 131

MOTS-CLÉS

un assistant social / une assistante sociale | | une campagne
une collecte | une communauté | le déménagement
un discours | distribuer | l'esprit d'équipe
l'exploitation | une famille d'accueil | impliqué(e)
une pétition | une priorité | un travail de bénévolat

Ajoute ces nouveaux mots à ta liste de vocabulaire de base.

→ **CAHIER** p. 132

Comment
ça marche?

Révision

Le passé composé avec *avoir*

Regarde les phrases tirées du texte *Des jeunes qui changent le monde…*

- ■ …ces jeunes ont fait du bénévolat pour aider d'autres jeunes…
- ■ Elle a décidé de faire quelque chose…
- ■ À l'âge de 12 ans, Craig Kielburger a lu un article sur l'exploitation…

On utilise l'auxiliaire *avoir* pour former le passé composé de la majorité des verbes.

RÉFÉRENCES : le passé composé avec *avoir*, p. 162

Le passé composé avec *être*

Regarde les phrases tirées du texte *Des jeunes qui changent le monde…*

- ■ Elle est allée mettre des affiches à l'épicerie.
- ■ «Valises pour les jeunes» est devenu une campagne nationale.
- ■ Craig est parti en Asie pour y découvrir les conditions de travail de ces enfants…

On utilise l'auxiliaire *être* pour former le passé composé de certains verbes. Il faut faire l'accord entre le sujet et le participe passé de ces verbes.

RÉFÉRENCES : le passé composé avec *être*, p. 162

Le pronom *en*

Regarde les phrases tirées du texte *Des jeunes qui changent le monde*...

- ...elle *en* a déjà plus de 3 000!
- Seuls les jeunes de moins de 18 ans peuvent être membres : il y *en* a 100 000 impliqués dans les activités...
- Ils distribuent cet équipement aux jeunes qui *en* ont besoin.

Le pronom *en* remplace *de* + le nom d'une chose dans une phrase.

RÉFÉRENCES : le pronom *en*, p. 158

Le pronom *y*

Regarde les phrases tirées du texte *Des jeunes qui changent le monde*...

- Aubyn *y* a commencé une campagne...
- Craig est parti en Asie pour *y* découvrir...
- Les jeunes *y* jouent au hockey.

Le pronom *y* remplace souvent un lieu dans une phrase.

RÉFÉRENCES : le pronom *y*, p. 159

Le partitif et la négation

Regarde les phrases tirées du texte *Des jeunes qui changent le monde*...

- ...ces jeunes *n'ont* même *pas de* valise.
- ...ces enfants qui *n'ont pas d'*enfance.
- ...mais beaucoup de jeunes *n'ont pas d'*équipement...

On utilise le partitif (*du, de la, de l', des*) pour indiquer une partie ou une quantité d'une chose qu'on ne compte pas. Après une négation, le partitif (*du, de la, de l', des*) devient *de* ou *d'*.

RÉFÉRENCES : le partitif et la négation, p. 156

A Complète les phrases suivantes par le verbe entre parenthèses conjugué au passé composé. Utilise l'auxiliaire *avoir*.

> **EXEMPLE :** On a fait (faire) quelque chose pour aider les jeunes en difficulté.

1. Les élèves  (décider) de créer un nouveau club à l'école.

2. Nous ▨▨▨▨ (parler) du problème des enfants exploités.

3. Est-ce que tu ▨▨▨▨ (choisir) un projet de bénévolat?

4. Vous ▨▨▨▨ (faire) un travail extraordinaire!

5. J'▨▨▨▨ (apprendre) beaucoup de choses de l'assistant social.

→ **CAHIER** p. 133

B Complète les phrases suivantes par le verbe entre parenthèses conjugué au passé composé. Utilise l'auxiliaire *être*. Est-ce qu'il y a un accord?

> **EXEMPLE :** Marie et Elsa sont sorties (sortir) de leur communauté pour faire leur projet.

1. Est-ce que ton frère ▨▨▨▨ (aller) visiter le refuge d'urgence avec sa classe?

2. Ils ▨▨▨▨ (venir) à la réunion des bénévoles.

3. Janine ▨▨▨▨ (arriver) à l'école tôt pour aider les élèves en difficulté.

4. Notre idée ▨▨▨▨ (devenir) une campagne nationale.

5. Est-ce que les filles ▨▨▨▨ (retourner) au centre communautaire?

→ **CAHIER** p. 134

C Remplace les mots en italique par le pronom *en*.

EXEMPLE : On a donné 30 *valises* pour la campagne.
On *en* a donné 30 pour la campagne.

1. Il y a 100 *membres* dans notre organisation.

2. Nous n'avons pas assez *de bénévoles* pour le projet.

3. Les enfants ont besoin *de valises* pour déménager.

4. Est-ce qu'ils ont les moyens d'acheter *de l'équipement*?

5. Est-ce que vous faites *du bénévolat* dans votre école?

→ **CAHIER** p. 137

D Remplace les mots en italique par le pronom *y*.

1. Aubyn Burnside a commencé sa campagne *en Caroline du Nord*.

2. Elle a fait de la publicité *dans sa communauté*.

3. Craig Kielburger est allé *en Asie*.

4. Ces jeunes travailleurs ne vont pas *à l'école*.

5. Les jeunes font leur projet annuel *à Régina*.

→ **CAHIER** p. 139

E Mets les phrases suivantes au négatif. Attention au partitif!

EXEMPLE : On demande *de l'*aide pour notre projet de bénévolat.
On ne demande pas *d'*aide pour notre projet de bénévolat.

1. On collecte *des* fonds pour l'organisation.

2. Ils ont *de la* difficulté à trouver des bénévoles.

3. Nous faisons *de la* publicité pour notre campagne.

4. Vous recevez *de l'*encouragement de vos parents?

5. Les filles distribuent *de l'*équipement aux jeunes.

→ **CAHIER** p. 140

À ton tour

Avant de commencer un projet de bénévolat, on peut participer à un remue-méninges pour trouver des idées. En groupes, faites les étapes suivantes.

- Préparez une liste de projets de bénévolat dans votre école et / ou dans votre communauté.
- Utilisez la grille dans votre cahier pour classer vos idées.

→ **CAHIER** p. 141

La tâche finale

Connais-tu ou as-tu déjà entendu parler d'une personne ou d'un groupe qui a changé quelque chose dans la communauté?

Fais une description de leur projet ou de leur organisation. Dans la description, tu dois expliquer :

- la situation et pourquoi ils ont voulu la changer;
- ce qu'ils ont fait pour changer la situation;
- les résultats de leurs actions et les réactions de la communauté.

Utilise le passé composé et écris au moins 20 phrases. Fais l'activité dans ton cahier pour préparer ta description. Présente ta description à la classe.

→ **CAHIER** p. 143

Les adjectifs démonstratifs

■ On utilise un adjectif démonstratif pour désigner une chose, une idée, une personne, ou un animal spécifique.

■ L'adjectif démonstratif est placé avant le nom.

■ L'adjectif s'accorde toujours en *genre* (masculin ou féminin) et en *nombre* (singulier ou pluriel) avec le nom.

EXEMPLES :

Ce professeur est gentil.
　　　　　 masc. sing.

Ces projets sont excellents.
　　　 masc. plur.

Cette idée est intéressante.
　　　　　 fém. sing.

Ces illustrations sont belles.
　　　　 fém. plur.

masculin singulier	féminin singulier	masculin pluriel	féminin pluriel
ce / cet*	cette	ces	ces
EXEMPLES :			
J'achète ce vélo.	Regarde cette auto.	J'achète ces vélos.	Regarde ces autos.
Regarde cet* avion.	J'aime cette moto.	Regarde ces avions.	J'aime ces motos.
Cet* hélicoptère est moderne.	Cette bicyclette est chère.	Ces hélicoptères sont modernes.	Ces bicyclettes sont chères.

* devant un nom masculin singulier qui commence avec une *voyelle* ou un *h* muet

Les adjectifs possessifs

■ On utilise les adjectifs possessifs pour indiquer une relation de possession.

■ Comme tous les adjectifs, l'adjectif possessif s'accorde en *genre* (masculin ou féminin) et en *nombre* (singulier ou pluriel) avec le nom.

Pronoms personnels	Avec un nom au masculin singulier	Avec un nom au masculin pluriel	Avec un nom au féminin singulier	Avec un nom au féminin pluriel
je	mon livre	mes livres	ma classe	mes classes
tu	ton sac	tes sacs	ta valise	tes valises
il	son cousin	ses cousins	sa cousine	ses cousines
elle	son frère	ses frères	sa sœur	ses sœurs
nous	notre devoir	nos devoirs	notre idée	nos idées
vous	votre voyage	vos voyages	votre vacance	vos vacances
ils	leur projet	leurs projets	leur histoire	leurs histoires
elles	leur plan	leurs plans	leur visite	leurs visites

EXEMPLES :

Tu as **un frère**. (masc. sing.)	→	C'est **ton** frère.
Marie a **trois frères**. (masc. plur.)	→	Ce sont **ses** frères.
J'ai **une cousine**. (fém. sing.)	→	C'est **ma** cousine.
Nous avons **des cousines**. (fém. plur.)	→	Ce sont **nos** cousines.
Ann et Tina ont **un oncle**. (masc. sing.)	→	C'est **leur** oncle.
Tony et Barbara ont **des tantes**. (fém. plur.)	→	Ce sont **leurs** tantes.

Attention ! Devant les **noms féminins singuliers** qui commencent par une **voyelle** (*a, e, i, o, u, y*) ou un ***h* muet**, *ma, ta* et *sa* changent en *mon, ton* et *son*.

EXEMPLES :

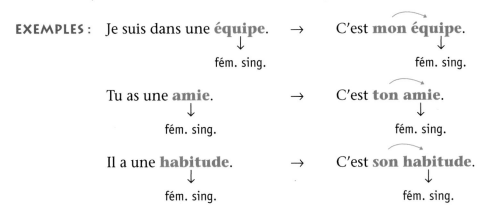

Je suis dans une **équipe**. → C'est **mon équipe**.
     ↓   ↓
   fém. sing.   fém. sing.

Tu as une **amie**. → C'est **ton amie**.
     ↓   ↓
   fém. sing.   fém. sing.

Il a une **habitude**. → C'est **son habitude**.
     ↓   ↓
   fém. sing.   fém. sing.

Pronoms personnels

1ère pers. sing. : je
2e pers. sing. : tu
3e pers. sing. : il / elle / on*
1ère pers. plur. : nous / on*
2e pers. plur. : vous
3e pers. plur. : ils / elles

Adjectifs possessifs

mon	ma	mes
ton	ta	tes
son	sa	ses
notre	notre	nos
votre	votre	vos
leur	leur	leurs

* **Attention!** Les adjectifs possessifs **avec le pronom on** changent selon **le sens** du pronom **on**.

Le pronom on peut signifier :

- les gens en général;

- quelqu'un (une personne);

- nous (moi et d'autres personnes).

On utilise l'adjectif possessif approprié selon le sens du pronom *on*.

EXEMPLES : **On** ne peut pas apporter **sa nourriture** au cinéma.

↓

«Les gens en général» → 3e pers. sing. (fém. sing.)

On a oublié **sa valise** à côté du train.

↓

«Quelqu'un» → 3e pers. sing. (fém. sing.)

On va aller chez **notre grand-mère**.

↓

«Nous» → 1ère pers. plur. (fém. sing.)

Les adjectifs qualificatifs

1. Les adjectifs qualificatifs réguliers

■ L'adjectif qualificatif *décrit* un nom; l'adjectif exprime une *qualité* ou une *caractéristique*.

■ L'adjectif s'accorde toujours en *genre* (masculin ou féminin) et en *nombre* (singulier ou pluriel) avec le nom.

148

J'ai vu un **film intéressant.** (masc. sing.)

Il y a une **émission intéressante** à la télévision. (fém. sing.)

Vous devez lire des **livres intéressants.** (masc. plur.)

Nous avons écouté des **histoires intéressantes.** (fém. plur.)

masculin singulier	féminin singulier	masculin pluriel	féminin pluriel
bruyant	bruyante	bruyants	bruyantes
coloré	colorée	colorés	colorées
fascinant	fascinante	fascinants	fascinantes
grand	grande	grands	grandes
lent	lente	lents	lentes
petit	petite	petits	petites

2. Les adjectifs qualificatifs irréguliers

■ Il faut apprendre les adjectifs irréguliers. Le féminin et le pluriel des adjectifs irréguliers ne suivent pas les mêmes règles que pour les adjectifs réguliers.

■ Il y a plusieurs adjectifs irréguliers en français. Pour trouver la bonne forme féminine d'un adjectif irrégulier, il faut chercher dans un dictionnaire.

■ Les adjectifs qui se terminent en *e* ont la même forme au masculin et au féminin.

masculin singulier	féminin singulier	masculin pluriel	féminin pluriel
bizarre	bizarre	bizarres	bizarres
comique	comique	comiques	comiques
drôle	drôle	drôles	drôles
extraordinaire	extraordinaire	extraordinaires	extraordinaires

■ Pour certains adjectifs irréguliers, on *double* la consonne finale et on ajoute un *e* au féminin.

masculin singulier	féminin singulier	masculin pluriel	féminin pluriel
ancien	ancienne	anciens	anciennes
bon	bonne	bons	bonnes
gros	grosse	gros	grosses
réel	réelle	réels	réelles

■ Les adjectifs qui se terminent en *eux* changent en *euse* au féminin.

masculin singulier	féminin singulier	masculin pluriel	féminin pluriel
chanceux	chanceuse	chanceux	chanceuses
heureux	heureuse	heureux	heureuses
nerveux	nerveuse	nerveux	nerveuses
sérieux	sérieuse	sérieux	sérieuses

■ Certains adjectifs qui se terminent en *eur* changent en *euse* au féminin.

masculin singulier	féminin singulier	masculin pluriel	féminin pluriel
charmeur	charmeuse	charmeurs	charmeuses
travailleur	travailleuse	travailleurs	travailleuses

■ Les adjectifs qui se terminent en *eau* changent en *elle* au féminin.

masculin singulier	féminin singulier	masculin pluriel	féminin pluriel
beau / bel*	belle	beaux	belles
nouveau / nouvel*	nouvelle	nouveaux	nouvelles

■ Les adjectifs qui se terminent en *er* changent en *ère* au féminin.

masculin singulier	féminin singulier	masculin pluriel	féminin pluriel
cher	chère	chers	chères
premier	première	premiers	premières
régulier	régulière	réguliers	régulières

■ Les adjectifs qui se terminent en *anc* changent en *anche* au féminin.

masculin singulier	féminin singulier	masculin pluriel	féminin pluriel
blanc	blanche	blancs	blanches
franc	franche	francs	franches

■ D'autres adjectifs prennent **des formes différentes**. Voici quelques exemples :

masculin singulier	féminin singulier	masculin pluriel	féminin pluriel
doux	douce	doux	douces
faux	fausse	faux	fausses
favori	favorite	favoris	favorites
fou	folle	fous	folles
frais	fraîche	frais	fraîches
imaginatif	imaginative	imaginatifs	imaginatives
long	longue	longs	longues
vieux / vieil*	vieille	vieux	vieilles

* devant un nom masculin singulier qui commence avec une *voyelle* ou un *h* muet

3. La place des adjectifs qualificatifs

a) Les adjectifs placés après le nom

■ En général, les adjectifs sont placés après le nom.

EXEMPLES : Elle porte un **t-shirt blanc**, des **jeans bleus**, une

casquette rouge et des **chaussures blanches**.

b) Les adjectifs placés avant le nom

■ Certains adjectifs sont placés avant le nom.

EXEMPLES : Il porte un **grand manteau**, de **belles bottes**, une

petite tuque et de **grosses lunettes** de soleil.

• **ATTENTION!** L'article indéfini *des* change en *de* ou *d'* quand il précède un adjectif qui est placé avant un nom au pluriel.

EXEMPLE : Il porte des **lunettes bleues** et des **souliers verts**.

nom   adj.   nom   adj.

Mais : Il porte **de grosses lunettes bleues** et **de beaux souliers verts**.

adj.   nom   adj.   adj.   nom   adj.

- Voici les adjectifs qualificatifs qui sont généralement placés avant le nom :

ancien / ancienne	grand / grande	mauvais / mauvaise
beau / bel* / belle	gros / grosse	nouveau / nouvel* / nouvelle
bon / bonne	jeune / jeune	petit / petite
dernier / dernière	long / longue	vieux / vieil* / vieille

* devant un nom masculin singulier qui commence avec une *voyelle* ou un *h* muet

- On peut aussi placer un adjectif avant un nom pour mettre l'emphase.

EXEMPLES : Tu fais un **excellent travail**!

Vous faites un **magnifique projet**!

4. Le comparatif et le superlatif des adjectifs

a) Le comparatif

◾ Le comparatif de **supériorité** | **plus** + adjectif + **que** |

EXEMPLES : Le Canada est **plus** grand **que** la France.
adjectif

Les montagnes Rocheuses sont **plus** hautes **que** les Laurentides.
adjectif

◾ Le comparatif d'**infériorité** | **moins** + adjectif + **que** |

EXEMPLES : Le train est **moins** rapide **que** l'avion.
adjectif

La Terre est **moins** grosse **que** le soleil.
adjectif

◾ Le comparatif d'**égalité** | **aussi** + adjectif + **que** |

EXEMPLES : Marise est **aussi** grande **que** sa mère.
adjectif

Les lasagnes sont **aussi** bonnes **que** les spaghettis.
adjectif

b) Le superlatif

■ Le superlatif de **supériorité**

le plus + adjectif	**la plus** + adjectif	**les plus** + adjectif

EXEMPLES : Simon est **le plus** grand de la classe.
adj. masc. sing.

L'hiver est la saison **la plus** froide de l'année.
adj. fém. sing.

Les plus hautes montagnes au monde sont dans l'Himalaya.
adj. fém. plur.

■ Le superlatif d'**infériorité**

le moins + adjectif	**la moins** + adjectif	**les moins** + adjectif

EXEMPLES : Ce projet est **le moins** long de tous.
adj. masc. sing.

Amélie est **la moins** active de la famille.
adj. fém. sing.

Le printemps et l'automne sont les saisons **les moins** longues de
l'année. adj. fém. plur.

c) Le comparatif et le superlatif de supériorité de l'adjectif *bon* :

■ L'adjectif *bon* change à **meilleur** (*bonne* change à **meilleure**).

Diane pense que le chocolat est **meilleur que** la menthe.

Sam pense que la menthe est **meilleure que** le chocolat.

Diane et Sam pensent que les chocolats à la menthe sont **les meilleurs** de
tous.

■ Il n'y a pas de changement avec «**moins** bon» et «**aussi** bon».

Les adverbes

L'adverbe est un mot invariable qu'on ajoute à un autre mot pour modifier le sens.

a) On peut ajouter un **adverbe** à un **verbe**.

EXEMPLES :

Elle parle. → Elle parle **vite**.
   verbe   verbe adv.

J'aime les jeux vidéo. → J'aime **beaucoup** les jeux vidéo.
 verbe   verbe adv.

b) On peut ajouter un **adverbe** à un **adjectif**.

EXEMPLES :

Je suis allé à un bon concert. → Je suis allé à un **très** bon concert.
             adj.   adv. adj.

Elle aime les tests difficiles. → Elle aime les tests **assez** difficiles.
            adj.   adv.   adj.

c) On peut ajouter un **adverbe** à un **autre adverbe**.

EXEMPLES :

Denis regarde trop la télé. → Denis regarde **beaucoup** trop la télé.
            adv.   adv.   adv.

Vous sortez souvent. → Vous sortez **trop** souvent.
         adv.   adv. adv.

d) On peut utiliser un **adverbe + de** avec un **nom** pour **indiquer une quantité**.

EXEMPLES :

Nous avons **peu de** temps. Nous avons **assez de** temps pour faire nos devoirs.
         adv.   adv.

J'ai mangé **beaucoup de** pizza. Tu as mangé **trop de** dessert!
        adv.   adv.

Voici quelques adverbes qu'on utilise souvent :

Pour indiquer la **quantité** :	Pour indiquer le **temps** :	Pour indiquer la **manière** :	Pour indiquer l'**endroit** :
assez	après	bien	ici
beaucoup	avant	mal	là
peu	déjà	mieux	loin
trop	souvent	très	près

La formation des adverbes en *-ment*

En général, on peut créer un adverbe avec un *adjectif au féminin*.

Adjectif au masculin		Adjectif au féminin		Adverbe
grand	→	grande	→	grandement
long	→	longue	→	longuement
merveilleux	→	merveilleuse	→	merveilleusement
premier	→	première	→	premièrement
réel	→	réelle	→	réellement
régulier	→	régulière	→	régulièrement
sérieux	→	sérieuse	→	sérieusement

EXEMPLES :   Nous apprécions **grandement** votre travail.

J'ai parlé **longuement** avec le directeur.

Il fait **merveilleusement** beau aujourd'hui.

Ton projet est **réellement** intéressant.

Vous travaillez **sérieusement** bien.

Les articles

L'article précède toujours le nom.

L'article indique le *genre* (masculin ou féminin) et le *nombre* (singulier ou pluriel) du nom.

1. Les articles définis

■ Les articles définis sont *le, la, l'* et *les*.

EXEMPLES :   **le** jeu (masc. sing.)   →   **les** jeux (masc. plur.)

la machine (fém. sing.)   →   **les** machines (fém. plur.)

■ On utilise *l'* devant tous les noms **singuliers** (masculins et féminins) qui commencent par une voyelle (*a, e, i, o, u, y*) ou un *h* muet.

EXEMPLES :   **l'**espace (masc. sing.)   →   **les** espaces (masc. plur.)

l'école (fém. sing.)   →   **les** écoles (fém. plur.)

l'hôtel (masc. sing.)   →   **les** hôtels (masc. plur.)

l'histoire (fém. sing.)   →   **les** histoires (fém. plur.)

2. Les articles indéfinis

■ Les articles indéfinis sont *un, une* et *des*.

EXEMPLES : **un** melon (masc. sing.) → **des** melons (masc. plur.)

une orange (fém. sing.) → **des** oranges (fém. plur.)

■ Au **négatif**, *un, une* et *des* changent en *de* ou *d'* :

EXEMPLES : Je mange **un** fruit. → Je **ne** mange **pas de** fruit.

Nous avons **des** devoirs. → Nous **n'**avons **pas de** devoirs.

Tu lis **une** histoire → Tu **ne** lis **pas d'**histoire.

Regarde **une** photo. → **Ne** regarde **pas de** photo.

Elle a fait **des** illustrations. → Elle **n'**a **pas** fait **d'**illustrations.

3. Les articles partitifs

■ Les articles partitifs sont *du, de la, de l'* et *des*.

■ On utilise un article partitif pour indiquer **une quantité qu'on ne peut pas compter.**

EXEMPLES : Je mange **du** pain et **du** fromage. (masc. sing.)

Tu manges **des** champignons. (masc. plur.)

Nous mangeons **de la** soupe. (fém. sing.)

Nous mangeons **des** arachides. (fém. plur.)

■ Au **négatif**, *du, de la, de l'* et *des* changent en *de* ou *d'* :

EXEMPLES : Tu manges **du** gâteau. → Tu **ne** manges **pas de** gâteau.

Elle mange **de la** pizza. → Elle **ne** mange **pas de** pizza.

Vous mangez **des** arachides? → Vous **ne** mangez **pas d'**arachides?

Les contractions

1. La préposition *à*, avec les articles définis *le, la, l'* et *les*

Luc et Sam ne vont pas **au** studio. (*studio* : masc. sing.)

Elle parle **à la** photographe. (*photographe* : fém. sing.)

On doit aller **à l'**école. (*école* : fém. sing.)

Il ne donne pas de devoirs **aux** élèves. (*élèves* : masc. ou fém. plur.)

- Devant les mots masculins singuliers : **au**
- Devant les mots féminins singuliers : **à + la**
- Devant les mots masculins et féminins singuliers qui commencent par une voyelle (*a, e, i, o, u, y*) ou un *h* muet : **à + l'**
- Devant tous les mots au pluriel : **aux**

2. La préposition *de*, avec les articles définis *le*, *la*, *l'* et *les*

Jean va partir **du** bureau à 3 heures.   (*bureau* : masc. sing.)

On parle **de la** classe d'arts.   (*classe* : fém. sing.)

Je vais **de l'**école à la maison en vélo.   (*école* : fém. sing.)

Que penses-tu **des** tableaux?   (*tableaux* : masc. plur.)

J'ai peur **des** araignées!   (*araignées* : fém. plur.)

- Devant les noms masculins : **du**
- Devant les noms féminins : **de + la**
- Devant les noms masculins et féminins qui commencent par une voyelle (*a, e, i, o, u, y*) ou un *h* muet : **de + l'**
- Devant **tous** les noms au pluriel : **des**

Le pronom personnel *on*

Le pronom *on* est toujours utilisé comme sujet d'un verbe.

Le pronom *on* est conjugué à la 3e personne du singulier.

Le pronom *on* peut signifier :

1. Nous

On utilise souvent le pronom *on* au lieu de *nous* comme sujet. C'est plus simple et moins long.

EXEMPLES : *Nous allons* à l'école. = *On va* à l'école.

Qu'est-ce que *nous faisons* ce soir? = Qu'est-ce qu'*on fait* ce soir?

Quand *allons-nous* présenter *notre* projet? = Quand *va-t-on* présenter *notre* projet?

2. Les gens

On utilise très souvent le pronom *on* au lieu de *les gens* ou *les personnes* quand c'est le sujet. C'est plus simple et moins long.

EXEMPLES : *Les gens peuvent* visiter le musée tous les jours. = *On peut* visiter le musée tous les jours.

Si *les gens travaillent, ils gagnent* de l'argent. = Si *on travaille, on gagne* de l'argent.

Quand *les gens vont* en vacances, *ils apportent leurs* bagages. = Quand *on va* en vacances, *on apporte ses* bagages.

3. Quelqu'un

On utilise souvent le pronom *on* au lieu de *quelqu'un* quand c'est le sujet.

EXEMPLES : *Quelqu'un a frappé* à la porte. = *On a frappé* à la porte.

Si *quelqu'un téléphone*, dis que je ne suis pas là. = Si *on téléphone*, dis que je ne suis pas là.

Quelqu'un parle dans le corridor. = *On parle* dans le corridor.

Le pronom *en*

1. Le pronom *en* remplace un nom ou un groupe de mots introduits par un partitif comme *du, de la, de l'*, ou *des*. Le pronom *en* réfère à une partie de l'objet ou à une quantité indéterminée. Si on veut spécifier la **quantité**, on l'ajoute **après** le verbe.

EXEMPLES : Je veux *du* pain. → J'*en* veux.

Tu manges *de la* pizza. → Tu *en* manges. OU Tu *en* manges *un peu*.

Elle a *de l'*imagination. → Elle *en* a. OU Elle *en* a *beaucoup*.

Tu choisis *des* bonbons. → Tu *en* choisis. OU Tu *en* choisis *trop*!

2. Le pronom *en* remplace un nom ou un groupe de mots introduits par un article indéfini comme *un, une*, ou *des*. Si on veut spécifier le **nombre** ou la **quantité**, on l'ajoute **après** le verbe.

EXEMPLES : Je veux *un* verre d'eau. → J'*en* veux *un*.

Tu prends *une* photo. → Tu *en* prends *une*.

Ils ont *des* bagages. → Ils *en* ont. OU Ils *en* ont *beaucoup*.

- Dans une phrase au **présent**, *en* précède le verbe.

EXEMPLES : Vous avez *du* courage. → Vous *en* avez.

On fait *des* projets. → On *en* fait.

- Dans une phrase au **passé composé**, *en* précède l'auxiliaire.

EXEMPLES : Tu as mangé *de la* soupe. → Tu *en* as mangé. OU Tu *en* as mangé *beaucoup*.

J'ai trouvé *une* table. → J'*en* ai trouvé *une*.

Elle a pris *des* photos. → Elle *en* a pris.

- Dans une phrase où il y a **deux verbes**, *en* précède le verbe à l'infinitif.

EXEMPLES : Je dois utiliser *un* stylo. → Je dois *en* utiliser *un*.

Elle va préparer *une* pizza. → Elle va *en* préparer *une*.

Ils veulent faire *du* bruit. → Ils veulent *en* faire.

On peut jouer *de la* musique. → On peut *en* jouer.

Le pronom *y*

Le pronom *y* remplace souvent un lieu.

EXEMPLES : Je vais *au cinéma*. → J'*y* vais.

Il travaille *dans la classe*. → Il *y* travaille.

Nous faisons nos devoirs *à la bibliothèque*. → Nous *y* faisons nos devoirs.

NOTES :

- Dans une phrase au **présent**, *y* précède le verbe.

EXEMPLES : Vous allez *au centre commercial*. → Vous *y* allez.

On va *à l'école*. → On *y* va.

J'habite *en ville*. → J'*y* habite.

Ils sont *à la maison*. → Ils *y* sont.

- Dans une phrase au **passé composé**, *y* précède l'auxiliaire.

EXEMPLES : Tu es allé *à la cafétéria*. → Tu *y* es allé.

J'ai étudié *dans la classe*. → J'*y* ai étudié.

Elle a vu des peintures *au musée*. → Elle *y* a vu des peintures.

- Dans une phrase où il y a **deux verbes**, *y* précède le verbe à l'infinitif.

EXEMPLES : Je dois aller *à la pharmacie*. → Je dois *y* aller.

Elle va voyager *en France*. → Elle va *y* voyager.

Ils veulent aller *dans la classe*. → Ils veulent *y* aller.

On peut manger *au restaurant*. → On peut *y* manger.

Les questions

Il y a trois façons de poser des questions en français.

1. Est-ce que...? / Est-ce qu'...?

- Est-ce que tu vas sortir ce soir?

- Est-ce qu'Ana et Fred vont à l'exposition?

2. L'intonation, la voix monte

- Tu vas sortir ce soir?

- Nina et Fred vont à l'exposition?

3. L'inversion du verbe et du sujet

- *Allez-vous* sortir ce soir?

- Nina et Fred *vont-ils* à l'exposition? (*ils* représente Nina et Fred)

Fais-tu tes devoirs?	→	Est-ce que tu fais tes devoirs?
André étudie-t-il les sciences?	→	Est-ce qu'André étudie les sciences?
Va-t-on au casse-croûte?	→	Est-ce qu'on va au casse-croûte?

Les verbes : les temps

1. Le présent de l'indicatif

On utilise le présent de l'indicatif pour :

- parler d'une **action présente** → Nous **étudions** le français.
- parler d'une **action régulière** → Elle **fait** du sport tous les soirs.
- parler d'un **état général** → Ils **sont** fatigués.

EXEMPLES :

Au positif   **Au négatif**

Je **finis** mon projet. → Je **ne finis pas** mon livre.

Ana **va** au gymnase tous les jours. → Ana **ne va pas** à l'école tous les jours.

Vous **avez** toujours faim! → Vous **n'avez pas** toujours froid.

Si elles **étudient**, elles **réussissent**. → Si elles **n'étudient pas**, elles **ne réussissent pas**.

2. L'impératif

L'impératif existe pour donner :		L'impératif est conjugué à :
▪ un ordre →	Ne **parle** pas!	la 2ᵉ personne du singulier (**tu**)
▪ une suggestion →	**Finissons** ce jeu.	la 1ʳᵉ personne du pluriel (**nous**)
▪ un conseil →	**Attendez** la réponse.	la 2ᵉ personne du pluriel (**vous**)

L'impératif des verbes réguliers

verbes en -*er* étudi*er*	étudi*e** étudi*ons* étudi*ez*	verbes en -*ir* chois*ir*	chois*is* chois*issons* chois*issez*	verbes en -*re* répond*re*	répond*s* répond*ons* répond*ez*

* **ATTENTION!** Pour les verbes en -*er*, on enlève le *s* final de la forme *tu* au présent.

Pour mettre l'impératif au négatif, on ajoute **ne** (ou **n'**) et **pas** de chaque côté du verbe.

EXEMPLES : **Ne** va **pas** dehors!

Ne faites **pas** de bruit!

3. Le futur proche

Pour parler du futur, on peut utiliser le *futur proche*.

C'est facile! On forme le futur proche de **tous les verbes** de la même manière!

Pour former le *futur proche* :

On met le verbe *aller* au présent		+	On ajoute le verbe à l'infinitif
je	vais	+	arriver
tu	vas	+	venir
il	va	+	parler
elle	va	+	écouter
on	va	+	voir
nous	allons	+	communiquer
vous	allez	+	écrire
ils	vont	+	lire
elles	vont	+	partir

Pour mettre le *futur proche* au négatif :

On met le verbe *aller* au négatif présent			+	On ajoute le verbe à l'infinitif
je	ne	vais	pas	+	arriver
tu	ne	vas	pas	+	venir
il	ne	va	pas	+	parler
elle	ne	va	pas	+	écouter
on	ne	va	pas	+	voir
nous	n'allons		pas	+	communiquer
vous	n'allez		pas	+	écrire
ils	ne	vont	pas	+	lire
elles	ne	vont	pas	+	partir

Je *vais* sortir demain soir.   Je *ne vais pas* sortir ce soir.

Elle *va* rester à la maison.   Elle *ne va pas* aller au cinéma.

Nous *allons* aller au centre-ville.   Nous *n'allons pas* étudier.

Elles *vont* travailler demain.   Elles *ne vont pas* aller au parc.

4. Le passé composé

Le **passé composé** décrit une **action terminée dans le passé.**

Le **passé composé** est **composé** de deux parties :

- l'**auxiliaire** : *avoir* ou *être* au présent

- + le **participe passé** du verbe principal

Pour former les participes passés réguliers, on change la fin de l'infinitif du verbe.

verbes en *-er*	verbes en *-ir*	verbes en *-re*
EXEMPLE :	EXEMPLE :	EXEMPLE :
march*er* → march*é*	fin*ir* → fin*i*	perd*re* → perd*u*

a) Le passé composé des verbes avec l'auxiliaire *avoir*

La majorité des verbes prennent l'auxiliaire *avoir* au passé composé.

EXEMPLE :

Line	a	parlé.
↓	↓	↓
sujet	auxiliaire *avoir*	participe passé

EXEMPLES :

regard*er*	fin*ir*	entend*re*
j'*ai* regardé	j'*ai* fini	j'*ai* entendu
tu *as* regardé	tu *as* fini	tu *as* entendu
il / elle / on *a* regardé	il / elle / on *a* fini	il / elle / on *a* entendu
nous *avons* regardé	nous *avons* fini	nous *avons* entendu
vous *avez* regardé	vous *avez* fini	vous *avez* entendu
ils / elles *ont* regardé	ils / elles *ont* fini	ils / elles *ont* entendu

b) Le passé composé des verbes avec l'auxiliaire *être*

Certains verbes prennent l'auxiliaire *être* au passé composé.

Attention! Le participe passé de ces verbes s'accorde avec le sujet, comme un adjectif.

Line	est	part*ie*.
↓	↓	↓
sujet	auxiliaire *être*	participe passé

EXEMPLES :

mont*er*	part*ir*	descend*re*
je *suis* mont*é(e)*	je *suis* part*i(e)*	je *suis* descend*u(e)*
tu *es* mont*é(e)*	tu *es* part*i(e)*	tu *es* descend*u(e)*
il *est* mont*é*	il *est* part*i*	il *est* descend*u*
elle *est* mont*ée*	elle *est* part*ie*	elle *est* descend*ue*
on *est* mont*é*	on *est* part*i*	on *est* descend*u*
nous *sommes* mont*é(e)s*	nous *sommes* part*i(e)s*	nous *sommes* descend*u(e)s*
vous *êtes* mont*é(e)s*	vous *êtes* part*i(e)s*	vous *êtes* descend*u(e)s*
ils *sont* mont*és*	ils *sont* part*is*	ils *sont* descend*us*
elles *sont* mont*ées*	elles *sont* part*ies*	elles *sont* descend*ues*

On doit apprendre les verbes qui prennent l'auxiliaire **être** au passé composé. Voici un truc : on fait un acrostiche pour le docteur Vandertramp et sa femme.

On a alors : dr & mrs vandertramp

L'infinitif des verbes	Le participe passé au masculin	Le participe passé au féminin
devenir	deven*u**	deven*ue**
revenir	reven*u**	reven*ue**
monter	mont*é*	mont*ée*
rester	rest*é*	rest*ée*
sortir	sort*i*	sort*ie*
venir	ven*u**	ven*ue**
aller	all*é*	all*ée*
naître	n*é**	n*ée**
descendre	descend*u*	descend*ue*
entrer	entr*é*	entr*ée*
retourner	retourn*é*	retourn*ée*
tomber	tomb*é*	tomb*ée*
rentrer	rentr*é*	rentr*ée*
arriver	arriv*é*	arriv*ée*
mourir	m*ort**	m*orte**
partir	part*i*	part*ie*

* Ces participes passés sont irréguliers.

c) Les participes passés irréguliers

On doit apprendre les participes passés irréguliers.

Voici quelques participes passés irréguliers :

Le verbe à l'infinitif	Le participe passé	EXEMPLES :
avoir	eu	J'ai **eu** une bonne note pour mon test!
comprendre	compris	Nous avons **compris** les instructions.
devenir	devenu(e)	Karen est **devenue** docteure après ses études.
devoir	dû	Sara et Marco ont **dû** partir en auto.
dire	dit	J'ai **dit** un secret à mon ami.
être	été	J'ai **été** malade la semaine dernière.
faire	fait	Vous avez **fait** un bon travail.
lire	lu	Je n'ai pas **lu** ce livre.
mettre	mis	Tu a **mis** ton sac sur la chaise.
ouvrir	ouvert	Vous avez **ouvert** la porte.
pouvoir	pu	Nous n'avons pas **pu** finir notre projet.
prendre	pris	J'ai **pris** mon dîner à l'école.
revenir	revenu(e)	Elles sont **revenues** très tard hier soir.
venir	venu(e)	Nancy est **venue** à l'école à pied.
voir	vu	On n'a pas **vu** le film *Titanic*.
vouloir	voulu	Je n'ai pas **voulu** manquer l'école.

d) Le passé composé au négatif

Pour mettre un verbe au passé composé **au négatif**, on ajoute *ne* (ou *n'*) et *pas*
de chaque côté de l'auxiliaire.

EXEMPLES : Je *n'*ai *pas* fini mon travail.

Tu *n'*as *pas* regardé la télévision.

Vous *n'*avez *pas* pris de dessert!

Nous *ne* sommes *pas* sortis hier soir.

Ils *ne* sont *pas* arrivés à l'aéroport à l'heure.

e) Le passé composé à la forme interrogative avec l'inversion

Pour mettre un verbe au passé composé à la forme interrogative avec l'inversion,
on change le sujet et l'auxiliaire de place, et on ajoute un trait d'union (-).

EXEMPLES : As-tu entendu l'annonce?

Pierre a-t-il fini de dîner?

Avons-nous fait tout notre travail?

Êtes-vous tombés dans les escaliers?

Marie et Amanda sont-elles revenues?

5. L'accord du verbe avec un sujet composé

- La forme du verbe correspond au **nombre** du sujet (singulier ou pluriel).
- Le sujet peut être **un pronom.** Le pronom remplace : une personne ou des personnes; un animal ou des animaux; une chose ou des choses.

Au singulier		Au pluriel	
1ère pers.	**je** marche	1ère pers.	**nous** parlons
2e pers.	**tu** danses	2e pers.	**vous** écoutez
3e pers., masc.	**il** regarde	3e pers., masc.	**ils** répondent
3e pers., fém.	**elle** chante	3e pers., fém.	**elles** partent
3e pers.	**on** sort		

- Le sujet peut être **une personne** ou **des personnes** :

Je parle au téléphone avec mes amis. **Mes amis et moi** sortons après l'école.
Louis, tu veux faire tes devoirs? **Marise et toi** venez avec nous?
Le groupe entre dans la classe? **Paco et Anna** partent ensemble.

Observe :

Toi et moi faisons nos devoirs. → **Toi et moi, nous** faisons nos devoirs.
(Toi et moi = nous)

Vous et moi devons étudier. → **Vous et moi, nous** devons étudier.
(Vous et moi = nous)

Mon ami et moi sommes sortis. → **Mon ami et moi, nous** sommes sortis.
(Mon ami et moi = nous)

Paco et toi jouez. → **Paco et toi, vous** jouez.
(Paco et toi = vous)

Tes amis et toi faites un projet. → **Tes amis et toi, vous** faites un projet.
(Tes amis et toi = vous)

- Le sujet peut être **un animal** ou **des animaux** :

Le chat ne sort pas de la maison. **Les serpents** sortent de la terre.
Le panda mange du bambou. **Les araignées** ne sont pas méchantes.

- Le sujet peut être **une chose** ou **des choses** :

La classe est très grande. **Les plantes** poussent vite!
La géographie est fascinante. **Les photos** sont vraiment belles!

Conjugaisons de verbes

Verbes réguliers en *–er*

étudier

présent	impératif	passé composé	futur proche
j'étudie		j'ai étudié	je *vais* étudier
tu étudies	étudie	tu *as* étudié	tu *vas* étudier
il, elle, on étudie		il, elle, on *a* étudié	il, elle, on *va* étudier
nous étudions	étudions	nous *avons* étudié	nous *allons* étudier
vous étudiez	étudiez	vous *avez* étudié	vous *allez* étudier
ils, elles étudient		ils, elles *ont* étudié	ils, elles *vont* étudier

regarder

présent	impératif	passé composé	futur proche
je regarde		j'ai regardé	je *vais* regarder
tu regardes	regarde	tu *as* regardé	tu *vas* regarder
il, elle, on regarde		il, elle, on *a* regardé	il, elle, on *va* regarder
nous regardons	regardons	nous *avons* regardé	nous *allons* regarder
vous regardez	regardez	vous *avez* regardé	vous *allez* regarder
ils, elles regardent		ils, elles *ont* regardé	ils, elles *vont* regarder

Verbes réguliers en *–ir*

finir

présent	impératif	passé composé	futur proche
je finis		j'ai fini	je *vais* finir
tu finis	finis	tu *as* fini	tu *vas* finir
il, elle, on finit		il, elle, on *a* fini	il, elle, on *va* finir
nous finissons	finissons	nous *avons* fini	nous *allons* finir
vous finissez	finissez	vous *avez* fini	vous *allez* finir
ile, elles finissent		ils, elles *ont* fini	ils, elles *vont* finir

réussir

présent	impératif	passé composé	futur proche
je réussis		j'ai réussi	je *vais* réussir
tu réussis	réussis	tu *as* réussi	tu *vas* réussir
il, elle, on réussit		il, elle, on *a* réussi	il, elle, on *va* réussir
nous réussissons	réussissons	nous *avons* réussi	nous *allons* réussir
vous réussissez	réussissez	vous *avez* réussi	vous *allez* réussir
ils, elles réussissent		ils, elles *ont* réussi	ils, elles *vont* réussir

Verbes réguliers en *-re*

entendre

présent	impératif	passé composé	futur proche
j'entends		j'*ai* entendu	je *vais* entendre
tu entends	entends	tu *as* entendu	tu *vas* entendre
il, elle, on entend		il, elle, on *a* entendu	il, elle, on *va* entendre
nous entendons	entendons	nous *avons* entendu	nous *allons* entendre
vous entendez	entendez	vous *avez* entendu	vous *allez* entendre
ils, elles entendent		ils, elles *ont* entendu	ils, elles *vont* entendre

rendre

présent	impératif	passé composé	futur proche
je rends		j'*ai* rendu	je *vais* rendre
tu rends	rends	tu *as* rendu	tu *vas* rendre
il, elle, on rend		il, elle, on *a* rendu	il, elle, on *va* rendre
nous rendons	rendons	nous *avons* rendu	nous *allons* rendre
vous rendez	rendez	vous *avez* rendu	vous *allez* rendre
ils, elles rendent		ils, elles *ont* rendu	ils, elles *vont* rendre

Verbes irréguliers

avoir

présent	impératif	passé composé	futur proche
j'*ai*		j'*ai* eu	je *vais* avoir
tu *as*	aie	tu *as* eu	tu *vas* avoir
il, elle, on *a*		il, elle, on *a* eu	il, elle, on *va* avoir
nous *avons*	ayons	nous *avons* eu	nous *allons* avoir
vous *avez*	ayez	vos *avez* eu	vous *allez* avoir
ils, elles *ont*		ils, elles *ont* eu	ils, elles *vont* avoir

aller

présent	impératif	passé composé	futur proche
je *vais*		je *suis* allé*(e)*	je *vais* aller
tu *vas*	va	tu *es* allé*(e)*	tu *vas* aller
il, elle, on *va*		il, on *est* allé	il, elle, on *va* aller
nous *allons*	allons	elle *est* allée	nous *allons* aller
vous *allez*	allez	nous *sommes* allé*(e)s*	vous *allez* aller
ils, elles *vont*		vous *êtes* allé*(e)s*	ils, elles *vont* aller
		ils *sont* allés	
		elles *sont* allées	

apprendre

présent	impératif	passé composé	futur proche
j'apprends		j'*ai* appris	je *vais* apprendre
tu apprends	apprends	tu as appris	tu *vas* apprendre
il, elle, on apprend		il, elle, on *a* appris	il, elle, on *va* apprendre
nous apprenons	apprenons	nous *avons* appris	nous *allons* apprendre
vous apprenez	apprenez	vous *avez* appris	vous *allez* apprendre
ils, elles apprennent		ils, elles *ont* appris	ils, elles *vont* apprendre

comprendre

présent	impératif	passé composé	futur proche
je comprends		j'*ai* compris	je *vais* comprendre
tu comprends	comprends	tu *as* compris	tu *vas* comprendre
il, elle, on comprend		il, on *a* compris	il, elle, on *va* comprendre
nous comprenons	comprenons	elle *a* compris	nous *allons* comprendre
vous comprenez	comprenez	nous *avons* compris	vous *allez* comprendre
ils, elles comprennent		vous *avez* compris	ils, elles *vont* comprendre
		ils, elles *ont* compris	

connaître

présent	impératif	passé composé	futur proche
je connais		j'*ai* connu	je *vais* connaître
tu connais		tu *as* connu	tu *vas* connaître
il, elle, on connait	connais	il, elle, on *a* connu	il, elle, on *va* connaître
nous connaissons	connaissons	nous *avons* connu	nous *allons* connaître
vous connaissez	connaissez	vous *avez* connu	vous *allez* connaître
ils, elles connaissent		ils, elles *ont* connu	ils, elles *vont* connaître

courir

présent	impératif	passé composé	futur proche
je cours		j'*ai* couru	je *vais* courir
tu cours	cours	tu *as* couru	tu *vas* courir
il, elle, on court		il, elle, on *a* couru	il, elle, on *va* courir
nous courons	courons	nous *avons* couru	nous *allons* courir
vous courez	courez	vous *avez* couru	vous *allez* courir
ils, elles courent		ils, elles *ont* couru	ils, elles *vont* courir

croire

présent	impératif	passé composé	futur proche
je crois		j'*ai* cru	je *vais* croire
tu crois	crois	tu *as* cru	tu *vas* croire
il, elle, on croit		il, elle, on *a* cru	il, elle, on *va* croire
nous croyons	croyons	nous *avons* cru	nous *allons* croire
vous croyez	croyez	vous *avez* cru	vous *allez* croire
ils, elles croient		ils, elles *ont* cru	ils, elles *vont* croire

devoir

présent	impératif	passé composé	futur proche
je dois		j'*ai* dû	je *vais* devoir
tu dois	dois	tu *as* dû	tu *vas* devoir
il, elle, on doit		il, elle, on *a* dû	il, elle, on *va* devoir
nous devons	devons	nous *avons* dû	nous *allons* devoir
vous devez	devez	vous *avez* dû	vous *allez* devoir
ils, elles doivent		ils, elles *ont* dû	ils, elles *vont* devoir

dire

présent	impératif	passé composé	futur proche
je dis		j'*ai* dit	je *vais* dire
tu dis	dis	tu *as* dit	tu *vas* dire
il, elle, on dit		il, elle, *a* dit	il, elle, on *va* dire
nous disons	disons	nous *avons* dit	nous *allons* dire
vous dites	dites	vous *avez* dit	vous *allez* dire
ils, elles disent		ils, elles *ont* dit	ils, elles *vont* dire

écrire

présent	impératif	passé composé	futur proche
j'écris		j'*ai* écrit	je *vais* écrire
tu écris	écris	tu *as* écrit	tu *vas* écrire
il, elle, on écrit		il, elle, on *a* écrit	il, elle, on *va* écrire
nous écrivons	écrivons	nous *avons* écrit	nous *allons* écrire
vous écrivez	écrivez	vous *avez* écrit	vous *allez* écrire
ils, elles écrivent		ils, elles *ont* écrit	ils, elles *vont* écrire

être

présent	impératif	passé composé	futur proche
je *suis*		j'*ai* été	je *vais* être
tu *es*	sois	tu *as* été	tu *vas* être
il, elle, on *est*		il, elle, on *a* été	il, elle, on *va* être
nous *sommes*	soyons	nous *avons* été	nous *allons* être
vous *êtes*	soyez	vous *avez* été	vous *allez* être
ils, elles *sont*		ils, elles *ont* été	ils, elles *vont* être

faire

présent	impératif	passé composé	futur proche
je fais		j'*ai* fait	je *vais* faire
tu fais	fais	tu *as* fait	tu *vas* faire
il, elle, on fait		il, elle, on *a* fait	il, elle, on *va* faire
nous faisons	faisons	nous *avons* fait	nous *allons* faire
vous faites	faites	vous *avez* fait	vous *allez* faire
ils, elles font		ils, elles *ont* fait	ils, elles *vont* faire

lire

présent	impératif	passé composé	futur proche
je lis		j'*ai* lu	je *vais* lire
tu lis	lis	tu *as* lu	tu *vas* lire
il, elle, on lit		il, elle, on *a* lu	il, elle, on *va* lire
nous lisons	lisons	nous *avons* lu	nous *allons* lire
vous lisez	lisez	vous *avez* lu	vous *allez* lire
ils, elles lisent		ils, elles *ont* lu	ils, elles *vont* lire

mettre

présent	impératif	passé composé	futur proche
je met*s*		j'ai m*is*	je *vais* mettre
tu met*s*	met*s*	tu *as* m*is*	tu *vas* mettre
il, elle, on met		il, elle, on *a* m*is*	il, elle, on *va* mettre
nous met*tons*	met*tons*	nous *avons* m*is*	nous *allons* mettre
vous met*tez*	met*tez*	vous *avez* m*is*	vous *allez* mettre
ils, elles met*tent*		ils, elles *ont* m*is*	ils, elles *vont* mettre

partir

présent	impératif	passé composé	futur proche
je par*s*		je *suis* par*ti(e)*	je *vais* partir
tu par*s*	par*s*	tu *es* par*ti(e)*	tu *vas* partir
il, elle, on par*t*		il, on *est* par*ti*	il, elle, on *va* partir
nous par*tons*	par*tons*	elle *est* par*tie*	nous *allons* partir
vous par*tez*	par*tez*	nous *sommes* par*ti(e)s*	vous *allez* partir
ils, elles par*tent*		vous *êtes* par*ti(e)s*	ils, elles *vont* partir
		ils *sont* par*tis*	
		elles *sont* par*ties*	

pouvoir

présent	impératif	passé composé	futur proche
je p*eux*		j'ai p*u*	je *vais* pouvoir
tu p*eux*	(très rare)	tu *as* p*u*	tu *vas* pouvoir
il, elle, on p*eut*		il, elle, on *a* p*u*	il, elle, on *va* pouvoir
nous p*ouvons*		nous *avons* p*u*	nous *allons* pouvoir
vous p*ouvez*		vous *avez* p*u*	vous *allez* pouvoir
ils, elles p*euvent*		ils, elles *ont* p*u*	ils, elles *vont* pouvoir

prendre

présent	impératif	passé composé	futur proche
je pren*ds*		j'ai pr*is*	je *vais* prendre
tu pren*ds*	pren*ds*	tu *as* pr*is*	tu *vas* prendre
il, elle, on pren*d*		il, elle, on *a* pr*is*	il, elle, on *va* prendre
nous pren*ons*	pren*ons*	nous *avons* pr*is*	nous *allons* prendre
vous pren*ez*	pren*ez*	vous *avez* pr*is*	vous *allez* prendre
ils, elles pren*nent*		ils, elles *ont* pr*is*	ils, elles *vont* prendre

savoir

présent	impératif	passé composé	futur proche
je sa*is*		j'ai s*u*	je *vais* savoir
tu sa*is*	sa*che*	tu *as* s*u*	tu *vas* savoir
il, elle, on sa*it*		il, elle, on a s*u*	il, elle, on *va* savoir
nous sa*vons*	sa*chons*	nous avons s*u*	nous *allons* savoir
vous sa*vez*	sa*chez*	vous avez s*u*	vous *allez* savoir
ils, elles sa*vent*		ils, elles ont s*u*	ils, elles *vont* savoir

sortir

présent	impératif	passé composé	futur proche
je sors		je *suis* sor*ti(e)*	je *vais* sortir
tu sors	sors	tu *es* sor*ti(e)*	tu *vas* sortir
il, elle, on sor*t*		il, on *est* sor*ti*	il, elle, on *va* sortir
nous sor*tons*	sor*tons*	elle *est* sor*tie*	nous *allons* sortir
vous sor*tez*	sor*tez*	nous *sommes* sor*ti(e)s*	vous *allez* sortir
ils, elles sor*tent*		vous *êtes* sor*ti(e)s*	ils, elles *vont* sortir
		ils *sont* sor*tis*	
		elles *sont* sor*ties*	

suivre

présent	impératif	passé composé	futur proche
je suis		j'*ai* sui*vi*	je *vais* suivre
tu suis	suis	tu *as* sui*vi*	tu *vas* suivre
il, elle, on sui*t*		il, elle, on *a* sui*vi*	il, elle, on *va* suivre
nous sui*vons*	sui*vons*	nous *avons* sui*vi*	nous *allons* suivre
vous sui*vez*	sui*vez*	vous *avez* sui*vi*	vous *allez* suivre
ils, elles sui*vent*		ils, elles *ont* sui*vi*	ils, elles *vont* suivre

venir

présent	impératif	passé composé	futur proche
je *v*iens		je *suis* venu(e)	je *vais* venir
tu *v*iens	*v*iens	tu *es* venu(e)	tu *vas* venir
il, elle, on *v*ient		il, on *est* venu	il, elle, on *va* venir
nous *v*enons	*v*enons	elle *est* venue	nous *allons* venir
vous *v*enez	*v*enez	nous *sommes* venu(e)s	vous *allez* venir
ils, elles *v*iennent		vous *êtes* venu(e)s	ils, elles *vont* venir
		ils *sont* venus	
		elles *sont* venues	

voir

présent	impératif	passé composé	futur proche
je vo*is*		j'*ai* vu	je *vais* voir
tu vo*is*	vo*is*	tu *as* vu	tu *vas* voir
il, elle, on vo*it*		il, elle, on *a* vu	il, elle, on *va* voir
nous vo*yons*	vo*yons*	nous *avons* vu	nous *allons* voir
vous vo*yez*	vo*yez*	vous *avez* vu	vous *allez* voir
ils, elles vo*ient*		ils, elles *ont* vu	ils, elles *vont* voir

vouloir

présent	impératif	passé composé	futur proche
je *v*eux		j'*ai* voulu	je *vais* vouloir
tu *v*eux	(très rare)	tu *as* voulu	tu *vas* vouloir
il, elle, on *v*eut		il, elle, on *a* voulu	il, elle, on *va* vouloir
nous *v*oulons		nous *avons* voulu	nous *allons* vouloir
vous *v*oulez		vous *avez* voulu	vous *allez* vouloir
ils, elles *v*eulent		ils, elles *ont* voulu	ils, elles *vont* vouloir

Les nombres de 0 à 1 000

0	zéro	50	cinquante	**EXEMPLES :**
1	un	51	cinquante et un	110 cent dix
2	deux	52	cinquante-deux, *etc.*	111 cent onze
3	trois	60	soixante	112 cent douze
4	quatre	70	soixante-dix	113 cent treize
5	cinq	71	soixante et onze	220 deux cent vingt
6	six	72	soixante-douze	221 deux cent vingt et un
7	sept	73	soixante-treize, *etc.*	230 deux cent trente
8	huit	80	quatre-vingts	251 deux cent cinquante et un
9	neuf	81	quatre-vingt-un	333 trois cent trente-trois
10	dix	82	quatre-vingt-deux, *etc.*	364 trois cent soixante-quatre
11	onze	90	quatre-vingt-dix	377 trois cent soixante-dix-sept
12	douze	91	quatre-vingt-onze	415 quatre cent quinze
13	treize	92	quatre-vingt-douze,	484 quatre cent quatre-vingt-quatre
14	quatorze	93	quatre-vingt-treize, *etc.*	498 quatre cent quatre-vingt-dix-huit
15	quinze	100	cent	514 cinq cent quatorze
16	seize	101	cent un	555 cinq cent cinquante-cinq
17	dix-sept	102	cent deux, *etc.*	575 cinq cent soixante-quinze
18	dix-huit	200	deux cents	629 six cent vingt-neuf
19	dix-neuf	201	deux cent un	660 six cent soixante
20	vingt	202	deux cent deux, *etc.*	672 six cent soixante-douze
21	vingt et un	300	trois cents	733 sept cent trente-trois
22	vingt-deux	400	quatre cents	772 sept cent soixante-douze
23	vingt-trois, *etc.*	500	cinq cents	811 huit cent onze
30	trente	600	six cents	885 huit cent quatre-vingt-cinq
31	trente et un	700	sept cents	893 huit cent quatre-vingt-treize
32	trente-deux, *etc.*	800	huit cents	980 neuf cent quatre-vingts
40	quarante	900	neuf cents	994 neuf cent quatre-vingt-quatorze
41	quarante et un, *etc.*	1 000	mille	999 neuf cent quatre-vingt-dix-neuf

Attention! Le *s* de **vingt** et de **cent** disparaît quand il est suivi d'un autre nombre : quatre-vingts, quatre-vingt-seize; deux cents, deux cent un, deux cent trente, cinq cents, cinq cent cinquante-cinq...

Lexique

français-anglais

adj.	**adjectif**
adv.	**adverbe**
conj.	**conjonction**
exp.	**expression**
loc.	**locution**
n.m.	**nom masculin**
n.f.	**nom féminin**
pl.	**pluriel**
prép.	**préposition**
pron.	**pronom**
pron. pers.	**pronom personnel**
v.	**verbe**

A

à bord *adv.* aboard
à cause de *prép.* because of
à côté de *prép.* beside
à peu près *exp.* more or less
à propos de *prép.* concerning
à toute vitesse *exp.* at full speed
à travers *prép.* through
à voix haute *exp.* out loud
une **abeille** *n.f.* bee
abstrait(e) *adj.* abstract
un **achat** *n.m.* purchase
acheter *v.* to buy
un **aéroglisseur** *n.m.* hovercraft
les **affaires** *n.f.pl.* belongings, business

affamé(e) *adj.* starving
une **affiche** *n.f.* poster
affreux, affreuse *adj.* hideous
un(e) **agent(e) de bord** *n.m.,f.* flight attendant
agité(e) *adj.* restless
un **agneau** *n.m.* lamb
aider *v.* to help
ajouter *v.* to add
un **aliment** *n.m.* food
l'**allemand** *n.m.* German
aller chercher *v.* to go get
l'**Amérique du Sud** *n.f.* South America
l'**amitié** *n.f.* friendship
amusant(e) *adj.* fun
ancien, ancienne *adj.* ancient
l'**Angleterre** *n.f.* England
une **anguille** *n.f.* eel
une **annonce publicitaire** *n.f.* advertisement
un **appareil** *n.m.* device
appartenir *v.* to belong
appliquer *v.* to apply
apporter *v.* to bring
d'**après** *prép.* according to
les **aquarelles** *n.f.pl.* watercolours
l'**argent** *n.m.* money
l'**argile** *n.f.* clay
l'**art numérique** *n.m.* digital art
un **artefact** *n.m.* artifact
l'**arthrite** *n.f.* arthritis
un(e) **assistant(e) social(e)** *n.m.,f.* social worker
assurer *v.* to ensure
un **atelier** *n.m.* workshop
un **atterrissage** *n.m.* landing
attraper *v.* to catch
au-dessus *adv.* above
l'**auditoire** *n.m.* audience

l'**aurore boréale** *n.f.* Northern Lights
un **autobus à impériale** *n.m.* double-decker bus
autonome *adj.* independent
l'**avenir** *n.m.* future
un **avion** *n.m.* airplane
un **avis** *n.m.* opinion

B

une **baie** *n.f.* bay, berry
baisser *v.* to lower
une **baleine** *n.f.* whale
un **ballon à air chaud** *n.m.* hot air balloon
une **bande** *n.f.* strip (as in comic strip), stripe
une **bande dessinée** *n.f.* comic strip
une **bataille** *n.f.* battle
un **bateau** *n.m.* boat
un **bâtiment** *n.m.* building
un **bec** *n.m.* beak
une **belette** *n.f.* weasel
la **Belgique** *n.f.* Belgium
un **béluga** *n.m.* beluga whale
le **bénévolat** *n.m.* volunteerism
un(e) **bénévole** *n.m.,f.* volunteer
bête *adj.* foolish
un(e) **bibliothécaire** *n.m.,f.* librarian
le **bien-être** *n.m.* well-being
un **billet** *n.m.* ticket
un(e) **blessé(e)** *n.m.,f.* wounded
une **blessure** *n.f.* wound
le **bois** *n.m.* wood
une **boisson** *n.f.* drink
un **bonbon** *n.m.* candy
le **bord** *n.m.* edge
bouger *v.* to move
une **boulangerie** *n.f.* bakery
un **bousier** *n.m.* dung beetle
un **bout** *n.m.* end
une **bouteille** *n.f.* bottle
branché(e) *adj.* plugged in
brillant(e) *adj.* bright
une **brochette** *n.f.* shish kebab
bruyant(e) *adj.* noisy

une **bulle** *n.f.* bubble
un **bureau** *n.m.* office
un **but** *n.m.* goal

C

cacher *v.* to hide
un **cadenas** *n.m.* padlock
cambrioler *v.* to rob
une **campagne** *n.f.* campaign
une **canette** *n.f.* can
une **canne à pêche** *n.f.* fishing rod
une **carapace** *n.f.* shell (of a turtle)
une **carrière** *n.f.* career
une **carte** *n.f.* map, card
le **carton** *n.m.* cardboard
un **casse-croûte** *n.m.* snack bar
un **cédérom** *n.m.* CD-ROM
célèbre *adj.* famous
un **centre commercial** *n.m.* shopping mall
le **centre-ville** *n.m.* downtown
le **cerveau** *n.m.* brain
c'est-à-dire *exp.* that is (to say)
la **chambre des machines** *n.f.* engine room
un **chapeau de cuisinier** *n.m.* chef's hat
chasser *v.* to hunt
un **chaudron** *n.m.* cauldron
chauffer *v.* to warm up
une **chauve-souris** *n.f.* bat
chavirer *v.* to capsize
un **chef-d'œuvre** *n.m.* masterpiece
un(e) **chef d'orchestre** *n.m.,f.* conductor (of an orchestra)
la **chimie** *n.f.* chemistry
chinois(e) *adj.* Chinese
un **choix** *n.m.* choice
un **chronomètre** *n.m.* stopwatch
une **clé** *n.f.* key
un(e) **client(e)** *n.m.,f.* customer
une **cloche** *n.f.* bell
le **cœur** *n.m.* heart
un **col** *n.m.* pass
une **collecte** *n.f.* collection

un **collier** *n.m.* collar
une **colline** *n.f.* hill
la **combinaison** *n.f.* combination
commander *v.* to order
une **communauté** *n.f.* community
une **compagnie aérienne** *n.f.* airline
la **comptabilité** *n.f.* accounting
le **comptoir** *n.m.* counter
un **concepteur** *n.m.*, une **conceptrice de décor** *n.f.* set designer
un **concours** *n.m.* contest
condamné(e) *adj.* condemned
la **confiserie** *n.f.* candy
congelé(e) *adj.* frozen
la **connaissance** *n.f.* knowledge
un **conseil** *n.m.* advice
construire *v.* to build
contre *adv.* against
convaincre *v.* to convince
la **côte** *n.f.* coast
se coucher *v.* to go to bed
couler *v.* to flow, to sink
un **coup** *n.m.* blow, gust (of wind)
un(e) **coupable** *n.m.,f.* perpetrator, *adj.* guilty
un **courriel** *n.m.* e-mail
une **courtepointe** *n.f.* quilt
un **coussin d'air** *n.m.* air cushion
un **couvercle** *n.m.* lid
créatif, créative *adj.* creative
une **crise cardiaque** *n.f.* heart attack
un **crochet** *n.m.* hook
cuisiner *v.* to cook

D

le **danois** *n.m.* Danish
débarquer *v.* to land
décider *v.* to decide
découvrir *v.* to discover
décrire *v.* to describe
un **défaut** *n.m.* flaw
un **défi** *n.m.* challenge
dégoûtant(e) *adj.* disgusting

un **déménagement** *n.m.* move
se déplacer *v.* to move
dernièrement *adv.* lately
désespérément *adv.* desperately
un **dessin animé** *n.m.* cartoon
un **détendeur** *n.m.* air valve
un **détroit** *n.m.* strait
devenir *v.* to become
deviner *v.* to guess
dévorer *v.* to devour
le **directeur adjoint** *n.m.*, la **directrice adjointe** *n.f.* vice principal
des **directives** *n.f.pl.* instructions
diriger *v.* to steer
un **discours** *n.m.* speech
disparaître *v.* to disappear
distribuer *v.* to distribute
divers(e) *adj.* various
un **domaine** *n.m.* field
un **don** *n.m.* donation
doré(e) *adj.* golden
un **dossier** *n.m.* file
la **douleur** *n.f.* pain
douloureux, douloureuse *adj.* painful
un **dresseur** *n.m.*, une **dresseuse** *n.f.* trainer (of animals)

E

échanger *v.* to exchange
un **écran** *n.m.* screen
un **écureuil** *n.m.* squirrel
un **effet sonore** *n.m.* sound effect
efficace *adj.* effective
effrayant(e) *adj.* frightening
embarquer *v.* to board
un **emploi** *n.m.* job
un **endroit** *n.m.* place
engager *v.* to hire
une **enquête** *n.f.* investigation
un(e) **enseignant(e)** *n.m.,f.* teacher
une **enseigne** *n.f.* sign
entre *prép.* between

une **entrevue** *n.f.* interview
environ *adv.* about
envoyer *v.* to send
une **épaule** *n.f.* shoulder
une **épave** *n.f.* wreck (of a ship)
une **épée** *n.f.* sword
une **épicerie** *n.f.* grocery store
des **épinards** *n.m.pl.* spinach
une **éponge** *n.f.* sponge
une **époque** *n.f.* era
épouser *v.* to marry
l'**équilibre** *n.m.* balance
une **équipe** *n.f.* team
équipé(e) *adj.* equipped
l'**équipement** *n.m.* equipment, hardware
l'**espagnol** *n.m.* Spanish
une **espèce** *n.f.* species
espérer *v.* to hope
l'**esprit d'équipe** *n.m.* team spirit
une **esquisse** *n.f.* sketch
l'**essence** *n.f.* gasoline
un **étage** *n.m.* level, floor (of a building)
une **étape** *n.f.* stage, step
un **état** *n.m.* state
les **États-Unis** *n.m.pl.* United States
un **événement** *n.m.* event
l'**exploitation** *n.f.* exploitation
une **exposition** *n.f.* show
exprimer *v.* to express

F

fabriquer *v.* to make, to manufacture
une **façon** *n.f.* way
faible *adj.* weak
faire mal *v.* to hurt
faire partie de *v.* to be part of
les **faits** *n.m.pl.* facts
une **famille d'accueil** *n.f.* foster family
un **fantôme** *n.m.* ghost
la **farine** *n.f.* flour
fatigué(e) *adj.* tired
une **ferme** *n.f.* farm

féroce *adj.* ferocious
une **fête** *n.f.* party
une **feuille** *n.f.* leaf
la **ficelle** *n.f.* string
une **fiche** *n.f.* form
fidèle *adj.* faithful
un(e) **fleuriste** *n.m.,f.* florist
un **fleuve** *n.m.* river
flotter *v.* to float
une **foire** *n.f.* fair
fonctionner *v.* to work
le **fond** *n.m.* bottom (of the lake)
la **formation** *n.f.* training
la **foule** *n.f.* crowd
une **fourmi** *n.f.* ant
la **fourrure** *n.f.* fur
franchement *adv.* frankly
frisé(e) *adj.* curly
des **frites** *n.f.pl.* fries
la **fumée** *n.f.* smoke

G

gagner *v.* to win
un **gant** *n.m.* glove
garder *v.* to keep, to take care of (children)
une **garderie** *n.f.* day-care centre
la **gare** *n.f.* station
un **gâteau** *n.m.* cake
gazeux, gazeuse *adj.* carbonated
gelé(e) *adj.* frozen
un **genre** *n.m.* kind
un(e) **gérant(e)** *n.m.,f.* manager
un **geste** *n.m.* gesture
la **gestion** *n.f.* management
la **glace** *n.f.* ice
glisser *v.* to glide
un **glouton** *n.m.*, une **gloutonne** *n.f.* glutton
gluant(e) *adj.* sticky
le **goût** *n.m.* taste
un **goûter** *n.m.* snack
grâce à *exp.* thanks to
une **grenouille** *n.f.* frog

grimper *v.* to climb
la **guerre** *n.f.* war
le **guidon** *n.m.* handlebars

H

habiter *v.* to live
une **habitude** *n.f.* habit
un **haut-parleur** *n.m.* loudspeaker
l'**heure de pointe** *n.f.* rush hour
hier *adv.* yesterday
une **horloge** *n.f.* clock
un **hors-d'œuvre** *n.m.* appetizer
l'**huile** *n.f.* oil

I

une **île** *n.f.* island
illimité(e) *adj.* unlimited
imaginatif, imaginative *adj.* imaginative
impliqué(e) *adj.* involved
inclus(e) *adj.* included
inconnu(e) *adj.* unknown
indépendant(e) *adj.* independent
un **indice** *n.m.* clue
l'**informatique** *n.f.* computer science
innovateur, innovatrice *adj.* innovative
inquiéter *v.* to worry
un **itinéraire** *n.m.* route

J

jaloux, jalouse *adj.* jealous
un **jeu** *n.m.* game
joindre *v.* to join
un **jouet** *n.m.* toy
le **jus** *n.m.* juice
juste *adj.* fair

K

klaxonner *v.* to honk

L

un **laboratoire** *n.m.* laboratory

un **lac** *n.m.* lake
une **laisse** *n.f.* leash
laisser *v.* to let alone, to leave behind
un **lait frappé** *n.m.* milkshake
lancer *v.* to throw
la **langue** *n.f.* tongue
au large *exp.* out at sea
léger, légère *adj.* light
un **légume** *n.m.* vegetable
lequel, laquelle *pron.* which one
lever *v.* to raise
libérer *v.* to free
un **lieu** *n.m.* place
un **lièvre** *n.m.* hare
une **locomotive à vapeur** *n.f.* steam engine
un **logiciel** *n.m.* software
loin *adv.* far
le **long (de)** *prép.* along
la **longueur** *n.f.* length
un **loup** *n.m.* wolf
une **loutre** *n.f.* otter
lutter *v.* to fight

M

la **mâchoire** *n.f.* jaw
un **magasin** *n.m.* store
une **maladie** *n.f.* illness
une **malédiction** *n.f.* curse
un **mammifère** *n.m.* mammal
la **Manche** *n.f.* English Channel
manquer *v.* to miss
une **mante religieuse** *n.f.* praying mantis
une **maquette** *n.f.* model
un **marais** *n.m.* marsh
le **marbre** *n.m.* marble
un **masque de chirurgie** *n.m.* surgical mask
une **masse d'eau** *n.f.* body of water
le **mât** *n.m.* mast
un **matelot** *n.m.* sailor
une **matière** *n.f.* substance
meilleur(e) *adj.* best
mélanger *v.* to mix

un **membre** *n.m.* limb
menacé(e) d'extinction *adj.* endangered
un **mensonge** *n.m.* lie
un **menteur** *n.m.*, une **menteuse** *n.f.* liar
la **mer** *n.f.* sea
mesurer *v.* to measure
un **métier** *n.m.* job
le **métro** *n.m.* subway
un **mets** *n.m.* dish
miam-miam *exp.* yum yum
le **miel** *n.m.* honey
mignon, mignonne *adj.* cute
un **milliard** *n.m.* billion
des **milliers** *n.m.pl.* thousands
minutieux, minutieuse *adj.* meticulous
les **montagnes Rocheuses** *n.f.pl.* Rocky
    Mountains
monter *v.* to climb, to rise
une **montgolfière** *n.f.* hot air balloon
un **morceau** *n.m.* piece
mordre *v.* to bite
mort(e) *adj.* dead
la **motoneige** *n.f.* snowmobile
les **mots croisés** *n.m.pl.* crosswords
une **mouche** *n.f.* fly
mourir *v.* to die
un **mousse** *n.m.* cabin boy
un **moyen de transport** *n.m.* means of
    transportation
des **moyens** *n.m.pl.* means

N

une **nageoire** *n.f.* fin
nager *v.* to swim
naufrage *n.m.* shipwreck
naviguer (sur Internet) *v.* to sail, to surf
    (the Net)
un **navire** *n.m.* ship
un **navire de croisière** *n.m.* cruise ship
né(e) *adj.* born
la **neige** *n.f.* snow
nettoyer *v.* to clean

nombreux, nombreuse *adj.* numerous
des **nouilles** *n.f.pl.* noodles
nourrissant(e) *adj.* nutritious
la **nourriture** *n.f.* food
la **Nouvelle-France** *n.f.* New France
des **nouvelles** *n.f.pl.* news
un **nuage** *n.m.* cloud

O

obéir *v.* to obey
obtenir *v.* to obtain
occupé(e) *adj.* busy
une **œuvre d'art** *n.f.* work of art
un **oiseau** *n.m.* bird
un **opérateur** *n.m.*, une **opératrice de prise de
    vues** *n.f.* camera operator
l'**or** *n.m.* gold
un **ordinateur** *n.m.* computer
l'**orientation** *n.f.* orientation
un **os** *n.m.* bone
oublier *v.* to forget
un **ours** *n.m.* bear
un **outil** *n.m.* tool

P

paisiblement *adv.* peacefully
un **pansement** *n.m.* bandage
un **paradisier** *n.m.* bird of paradise
un **parc zoologique** *n.m.* zoo
une **paroi** *n.f.* side
partager *v.* to share
une **partie** *n.f.* part
partout *adv.* everywhere
se **passer** *v.* to happen
une **passerelle de navigation** *n.f.* bridge (of a
    ship)
des **patins** *n.m.pl.* skates
une **pâtisserie** *n.f.* pastry shop
une **patte** *n.f.* paw
pauvre *adj.* poor
un **paysage** *n.m.* landscape
la **peau** *n.f.* skin

pêcher *v.* to fish
une **pédale** *n.f.* pedal
peindre *v.* to paint
la **peinture** *n.f.* paint
pendant *prép.* during
pendre *v.* to hang
percé(e) *adj.* pierced
perdre *v.* to lose
perfectionner *v.* to improve
un **personnage** *n.m.* character
peser *v.* to weigh
un(e) **petit(e) ami(e)** *n.m.,f.* boyfriend, girlfriend
une **pétition** *n.f.* petition
un **petit pain** *n.m.* bun
la **peur** *n.f.* fear
un **phare** *n.m.* lighthouse
une **pieuvre** *n.f.* octopus
un(e) **pigiste** *n.m.,f.* freelance worker
un **piment** *n.m.* hot pepper
un **pinceau** *n.m.* paintbrush
un **pionnier** *n.m.*, une **pionnière** *n.f.* pioneer
piquer *v.* to sting
piquer l'intérêt *v.* to pique the interest
le **pire** the worst
un **placard** *n.m.* closet
plaire *v.* to please
une **planche à roulettes** *n.f.* skateboard
le **plancher** *n.m.* floor
planifier *v.* to plan
un **plat** *n.m.* dish
le **plâtre** *n.m.* plaster
la **plongée** *n.f.* diving
plonger *v.* to dive
un **plongeur** *n.m.*, une **plongeuse** *n.f.* diver
la **plupart** *n.f.* most
plusieurs *adj.* several
une **pointe de pizza** *n.f.* pizza slice
un **poisson** *n.m.* fish
pondre *v.* to lay (eggs)
un **portefeuille** *n.m.* wallet
porter *v.* to wear
une **portion** *n.f.* portion

la **poterie** *n.f.* pottery
Pouah! *exp.* Ugh!
la **poubelle** *n.f.* garbage
le **poulet** *n.m.* chicken
pousser *v.* to push
pratiquer *v.* to practise
préféré(e) *adj.* favorite
près de *adv.* nearly
presque *adv.* almost
une **presqu'île** *n.f.* peninsula
prêt(e) *adj.* ready
une **preuve** *n.f.* proof
une **prière** *n.f.* prayer
une **priorité** *n.f.* priority
le **prix** *n.m.* price
prochain(e) *adj.* next
produire *v.* to produce
une **profession** *n.f.* profession
profond(e) *adj.* deep
protéger *v.* to protect
prouver *v.* to prove
la **publicité** *n.f.* advertising
puissant(e) *adj.* powerful

Q

un **quartier** *n.m.* neighbourhood
quelquefois *adv.* sometimes
quelqu'un *pron.* someone
une **queue** *n.f.* tail

R

raide *adj.* straight
une **rainette** *n.f.* tree frog
réagir *v.* to react
réaliser *v.* to carry out
la **recherche** *n.f.* research
un **récif** *n.m.* reef
un **récit** *n.m.* story
reconnaître *v.* to recognize
récupérer *v.* to salvage
réfléchir *v.* to think
une **règle** *n.f.* rule

remarquer *v.* to notice
la **remontée** *n.f.* ascent
remonter *v.* to climb back up
remplir *v.* to fill
un **renard** *n.m.* fox
un **renseignement** *n.m.* information
un **repas économique** *n.m.* meal deal
répéter *v.* to practise
un **reportage** *n.m.* news report
représenter *v.* to represent
un **requin** *n.m.* shark
requis(e) *adj.* required
un **réseau** *n.m.* network
respirer *v.* to breathe
ressembler *v.* to look like
en **retard** *adj.* late
retracer *v.* to retrace
une **réunion** *n.f.* meeting
réussir *v.* to succeed
un **rêve** *n.m.* dream
se **réveiller** *v.* to wake up
révéler *v.* to reveal
rire *v.* to laugh
une **rivière** *n.f.* river
le **riz** *n.m.* rice
un **rocher** *n.m.* rock
le **roi** *n.m.* king
ronfler *v.* to snore
une **roue** *n.f.* wheel
un **royaume** *n.m.* kingdom
une **ruche** *n.f.* beehive
rusé(e) *adj.* cunning
le **russe** *n.m.* Russian

S

le **sable** *n.m.* sand
le (fleuve) **Saint-Laurent** *n.m.* Saint Lawrence
    Seaway
une **salle** *n.f.* room
le **salon** *n.m.* living room
le **sang** *n.m.* blood

une **sangsue** *n.f.* leech
sauter *v.* to jump
sauver *v.* to save
se **sauver** *v.* to run away
un **sauvetage** *n.m.* rescue
un **scénario** *n.m.* script
une **sculpture** *n.f.* sculpture
une **séance** *n.f.* session
un **seau** *n.m.* bucket
selon *prép.* according to
sembler *v.* to seem
le **sens** *n.m.* meaning
sentir *v.* to feel
un **serpent** *n.m.* snake
un **serveur** *n.m.*, une **serveuse** *n.f.* waiter,
    waitress
seul(e) *adj.* only, *adv.* alone
un **siècle** *n.m.* century
un **sifflement** *n.m.* whistle
siffler *v.* to whistle
le **sirop d'érable** *n.m.* maple syrup
le **ski de fond** *n.m.* cross-country skiing
soigner *v.* to treat (a patient)
sombre *adj.* dark
sortir *v.* to go out, to come out
soudain *adv.* suddenly
soulager *v.* to relieve
la **soupe** *n.f.* soup
une **souris** *n.f.* mouse
sous-marin(e) *adj.* underwater
souterrain(e) *adj.* underground
un **stade** *n.m.* stadium
une **station de métro** *n.f.* subway station
sucré(e) *adj.* sweet
suggérer *v.* to suggest
suivre un cours *v.* to take a course
un **surnom** *n.m.* nickname
surtout *adv.* especially
surveiller *v.* to keep watch
survoler *v.* to fly over
un **symbole** *n.m.* symbol

T

un **tableau** *n.m.* painting
un **témoin** *n.m.* witness
une **tempête** *n.f.* storm
terminé(e) *adj.* finished
la **terre** *n.f.* land
têtu(e) *adj.* stubborn
un **thème** *n.m.* theme
le **tissu** *n.m.* fabric
une **toile** *n.f.* canvas
tomber *v.* to fall
le **tonnerre** *n.m.* thunder
un **tour** *n.m.* trick
un **tournage** *n.m.* movie/film or video shoot
tourner (un film ou une vidéo) *v.* to shoot (film
    or video)
tout à coup *adv.* suddenly
toxique *adj.* toxic
traiter *v.* to treat
tranchant(e) *adj.* sharp
des **transparents** *n.m.pl.* animation cells
le **transport** *n.m.* transportation
le(s) **transport(s) en commun** *n.m., n.m.pl.*
    public transportation
travailler *v.* to work
traverser *v.* to cross
un **traversier** *n.m.* ferry
un **tronc** *n.m.* trunk
un **trou** *n.m.* hole
un **troupeau** *n.m.* herd
une **truffe** *n.f.* truffle

U

usagé(e) *adj.* used
utiliser *v.* to use

V

les **vacances** *n.f.pl.* holidays
une **vague** *n.f.* wave
la **vaisselle** *n.f.* dishes
une **valise** *n.f.* suitcase
varier *v.* to vary
un **vélo de montagne** *n.m.* mountain bike
un **vendeur** *n.m.*, une **vendeuse** *n.f.* salesperson
vendre *v.* to sell
le **venin** *n.m.* venom
venir chercher *v.* to come get
le **vent** *n.m.* wind
une **vente de garage** *n.f.* garage sale
un **ver** *n.m.* worm
vérifier *v.* to check
le **vernis à ongles** *n.m.* nail polish
vers *prép.* toward
un **vestiaire** *n.m.* cloakroom
des **vêtements** *n.m.pl.* clothes
la **veuve noire** *n.f.* black widow spider
vif, vive *adj.* lively
une **ville** *n.f.* city
une **visite guidée** *n.f.* guided tour
la **vitesse** *n.f.* speed
vivant(e) *adj.* alive
vivre *v.* to live
un **voilier** *n.m.* sailboat
une **voiture** *n.f.* car, subway car
la **voix** *n.f.* voice
un **vol** *n.m.* theft
voler *v.* to fly, to steal
un **voleur** *n.m.*, une **voleuse** *n.f.* thief
voyager *v.* to travel
vraiment *adv.* really

adj.	**adjectif**
adv.	**adverbe**
conj.	**conjonction**
exp.	**expression**
loc.	**locution**
n.m.	**nom masculin**
n.f.	**nom féminin**
pl.	**pluriel**
prép.	**préposition**
pron.	**pronom**
pron. pers.	**pronom personnel**
v.	**verbe**

A

aboard *adv.* à bord
about *adv.* environ
above *adv.* au-dessus
abstract *adj.* abstrait
according to *prép.* selon, d'après
accounting *n.* la comptabilité *(n.f.)*
add *v.* ajouter
advertisement *n.* une annonce publicitaire *(n.f.)*
advertising *n.* la publicité *(n.f.)*
advice *n.* un conseil *(n.m.)*
against *adv.* contre
air cushion *n.* un coussin d'air *(n.m.)*
airline *n.* une compagnie aérienne *(n.f.)*
airplane *n.* un avion *(n.m.)*
air valve *n.* un détendeur *(n.m.)*

alive *adj.* vivant(e)
almost *adv.* presque
alone *adv.* seul(e)
along *prép.* le long de
ancient *adj.* ancien, ancienne
animation cells *n.* des transparents *(n.m.pl.)*
ant *n.* une fourmi *(n.f.)*
appetizer *n.* un hors-d'œuvre *(n.m.)*
apply *v.* appliquer
arthritis *n.* l'arthrite *(n.f.)*
artifact *n.* un artefact *(n.m.)*
ascent *n.* la remontée *(n.f.)*
audience *n.* l'auditoire *(n.m.)*

B

bakery *n.* une boulangerie *(n.f.)*
balance *n.* l'équilibre *(n.m.)*
bandage *n.* un pansement *(n.m.)*
bat *n.* une chauve-souris *(n.f.)*
battle *n.* une bataille *(n.f.)*
bay *n.* une baie *(n.f.)*
be part of *v.* faire partie de
beak *n.* un bec *(n.m.)*
bear *n.* un ours *(n.m.)*
because of *prép.* à cause de
become *v.* devenir
bee *n.* une abeille *(n.f.)*
beehive *n.* une ruche *(n.f.)*
Belgium *n.* la Belgique *(n.f.)*
bell *n.* une cloche *(n.f.)*
belong *v.* appartenir à
belongings *n.* les affaires *(n.f.pl.)*
beluga whale *n.* un béluga *(n.m.)*
berry *n.* une baie *(n.f.)*
beside *prép.* à côté de
best *adj.* meilleur(e)
between *prép.* entre

billion *n.* un milliard *(n.m.)*
bird *n.* un oiseau *(n.m.)*
bird of paradise *n.* un paradisier *(n.m.)*
bite *v.* mordre
black widow spider *n.* la veuve noire *(n.f.)*
blood *n.* le sang *(n.m.)*
blow *n.* un coup *(n.m.)*
board *v.* embarquer
boat *n.* un bateau *(n.m.)*
body of water *n.* une masse d'eau *(n.f.)*
bone *n.* un os *(n.m.)*
born *adj.* né(e)
bottle *n.* une bouteille *(n.f.)*
bottom *n.* le fond (du lac) *(n.m.)*
boyfriend *n.* un petit ami *(n.m.)*
brain *n.* le cerveau *(n.m.)*
breathe *v.* respirer
bridge (of a ship) *n.* une passerelle de navigation *(n.f.)*
bright *adj.* brillant(e)
bring *v.* apporter
bubble *n.* une bulle *(n.f.)*
bucket *n.* un seau *(n.m.)*
build *v.* construire
building *n.* un bâtiment *(n.m.)*
bun *n.* un petit pain *(n.m.)*
business *n.* les affaires *(n.f.pl.)*
busy *adj.* occupé(e)
buy *v.* acheter

C

cabin boy *n.* un mousse *(n.m.)*
cake *n.* un gâteau *(n.m.)*
camera operator *n.* un opérateur *(n.m.)*, une opératrice de prise de vues *(n.f.)*
campaign *n.* une campagne *(n.f.)*
can *n.* une canette *(n.f.)*
candy *n.* un bonbon *(n.m.)*, la confiserie *(n.f.)*
canvas *n.* une toile *(n.f.)*
capsize *v.* chavirer
car *n.* une voiture *(n.f.)*
carbonated *adj.* gazeux, gazeuse

card *n.* une carte *(n.f.)*
cardboard *n.* le carton *(n.m.)*
career *n.* une carrière *(n.f.)*
carry out *v.* réaliser
cartoon *n.* un dessin animé *(n.m.)*
catch *v.* attraper
cauldron *n.* un chaudron *(n.m.)*
CD-ROM *n.* un cédérom *(n.m.)*
century *n.* un siècle *(n.m.)*
challenge *n.* un défi *(n.m.)*
character *n.* un personnage *(n.m.)*
check *v.* vérifier
chef's hat *n.* un chapeau de cuisinier *(n.m.)*
chemistry *n.* la chimie *(n.f.)*
chicken *n.* le poulet *(n.m.)*
Chinese *adj.* chinois(e)
choice *n.* un choix *(n.m.)*
city *n.* une ville *(n.f.)*
clay *n.* l'argile *(n.f.)*
clean *v.* nettoyer
climb *v.* monter, grimper
climb back up *v.* remonter
cloak room *n.* un vestiaire *(n.m.)*
clock *n.* une horloge *(n.f.)*
closet *n.* un placard *(n.m.)*
clothes *n.* des vêtements *(n.m.pl.)*
cloud *n.* un nuage *(n.m.)*
clue *n.* un indice *(n.m.)*
coast *n.* la côte *(n.f.)*
collar *n.* un collier *(n.m.)*
collection *n.* une collecte *(n.f.)*
combination *n.* la combinaison *(n.f.)*
come get *v.* venir chercher
come out *v.* sortir
comic strip *n.* une bande dessinée *(n.f.)*
community *n.* une communauté *(n.f.)*
computer *n.* un ordinateur *(n.f.)*
computer science *n.* l'informatique *(n.f.)*
concerning *prép.* à propos de
condemned *qdj.* condamné(e)
conductor (of an orchestra) *n.* un(e) chef d'orchestre *(n.m.,f.)*

contest *n.* un concours *(n.m.)*
convince *v.* convaincre
cook *v.* cuisiner
counter *n.* le comptoir *(n.m.)*
creative *adj.* créatif, créative
cross *v.* traverser
cross-country skiing *n.* le ski de fond *(n.m.)*
crosswords *n.* les mots croisés *(n.m.pl.)*
crowd *n.* la foule *(n.f.)*
cruise ship *n.* un navire de croisière *(n.m.)*
cunning *adj.* rusé(e)
curly *adj.* frisé(e)
curse *n.* une malédiction *(n.f.)*
customer *n.* un(e) client(e) *(n.m.,f.)*
cute *adj.* mignon, mignonne

D

Danish *n.* le danois *(n.m.)*
dark *adj.* sombre
day-care centre *n.* une garderie *(n.f.)*
dead *adj.* mort(e)
decide *v.* décider
deep *adj.* profond(e)
describe *v.* décrire
desperately *adv.* désespérément
device *n.* un appareil *(n.m.)*
dévorer *v.* devour
die *v.* mourir
digital art *n.* l'art numérique *(n.m.)*
disappear *v.* disparaître
discover *v.* découvrir
disgusting *adj.* dégoûtant(e)
dish *n.* un plat *(n.m.)*, un mets *(n.m.)*
dishes *n.* la vaisselle *(n.f.)*
distribute *v.* distribuer
dive *v.* plonger
diver *n.* un plongeur *(n.m.)*, une plongeuse *(n.f.)*
diving *n.* la plongée *(n.f.)*
donation *n.* un don *(n.m.)*
double-decker bus *n.* un autobus à impériale *(n.m.)*
downtown *n.* le centre-ville *(n.m.)*

dream *n.* un rêve *(n.m.)*
drink *n.* une boisson *(n.f.)*
dung beetle *n.* un bousier *(n.m.)*
during *prép.* pendant

E

edge *n.* le bord *(n.m.)*
eel *n.* une anguille *(n.f.)*
effective *adj.* efficace
e-mail *n.* un courriel *(n.m.)*
end *n.* un bout *(n.m.)*
endangered *adj.* menacé(e) d'extinction
engine room *n.* la chambre des machines *(n.f.)*
England *n.* l'Angleterre *(n.f.)*
English Channel *n.* la Manche *(n.f.)*
ensure *v.* assurer
equipment *n.* équipement *(n.m.)*
equipped *adj.* équipé(e)
era *n.* une époque *(n.f.)*
especially *adv.* surtout
event *n.* un événement *(n.m.)*
everywhere *adv.* partout
exchange *v.* échanger
exploitation *n.* l'exploitation *(n.f.)*
express *v.* exprimer

F

fabric *n.* le tissu *(n.m.)*
facts *n.* les faits *(n.m.pl.)*
fair *n.* une foire *(n.f.)*, *adj.* juste
faithful *adj.* fidèle
fall *v.* tomber
famous *adj.* célèbre
far *adv.* loin
farm *n.* une ferme *(n.f.)*
favorite *adj.* préféré(e)
fear *n.* la peur *(n.f.)*
feel *v.* sentir
ferocious *adj.* féroce
ferry *n.* un traversier *(n.m.)*
field *n.* un domaine *(n.m.)*
fight *v.* lutter

file *n.* un dossier *(n.m.)*
fill *v.* remplir
film shoot *n.* un tournage *(n.m.)*
fin *n.* une nageoire *(n.f.)*
finished *adj.* terminé(e)
fish *n.* un poisson *(n.m.)*, *v.* pêcher
fishing rod *n.* une canne à pêche *(n.f.)*
flaw *n.* un défaut *(n.m.)*
flight attendant *n.* un(e) agent(e) de bord *(n.m.,f.)*
float *v.* flotter
floor (of a building) *n.* un étage *(n.m.)*
florist *n.* un(e) fleuriste *(n.m.,f.)*
flour *n.* la farine *(n.f.)*
flow *v.* couler
fly *n.* une mouche *(n.f.)*, *v.* voler
fly over *v.* survoler
food *n.* un aliment *(n.m.)*, la nourriture *(n.f.)*
foolish *adj.* bête
forget *v.* oublier
form *n.* une fiche *(n.f.)*
foster family *n.* une famille d'accueil *(n.f.)*
fox *n.* un renard *(n.m.)*
frankly *adv.* franchement
free *v.* libérer
freelance worker *n.* un(e) pigiste *(n.m.,f.)*
friendship *n.* l'amitié *(n.f.)*
fries *n.* des frites *(n.f.pl.)*
frightening *adj.* effrayant(e)
frog *n.* une grenouille *(n.f.)*
frozen *adj.* congelé(e), gelé(e)
at **full speed** *exp.* à toute vitesse
fun *adj.* amusant(e)
fur *n.* la fourrure *(n.f.)*
future *n.* l'avenir *(n.m.)*

G

game *n.* un jeu *(n.m.)*
garage sale *n.* une vente de garage *(n.f.)*
garbage *n.* la poubelle *(n.f.)*
gasoline *n.* l'essence *(n.f.)*
German *n.* l'allemand *(n.m.)*

gesture *n.* un geste *(n.m.)*
ghost *n.* un fantôme *(n.m.)*
girlfriend *n.* une petite amie *(n.f.)*
glide *v.* glisser
glove *n.* un gant *(n.m.)*
glutton *n.* un glouton *(n.m.)*, une gloutonne *(n.f.)*
goal *n.* un but *(n.m.)*
go get *v.* aller chercher
go out *v.* sortir
go to bed *v.* se coucher
gold *n.* l'or *(n.m.)*
golden *adj.* doré(e)
grocery store *n.* une épicerie *(n.f.)*
guess *v.* deviner
guided tour *n.* une visite guidée *(n.f.)*
guilty *adj.* coupable
gust (of wind) *n.* un coup (de vent) *(n.m.)*

H

habit *n.* une habitude *(n.f.)*
handlebars *n.* le guidon *(n.m.)*
hang *v.* pendre
happen *v.* se passer
hardware *n.* l'équipement *(n.m.)*
hare *n.* un lièvre *(n.m.)*
heart *n.* le cœur *(n.m.)*
heart attack *n.* une crise cardiaque *(n.f.)*
help *v.* aider
herd *n.* un troupeau *(n.m.)*
hide *v.* cacher
hideous *adj.* affreux, affreuse
hill *n.* une colline *(n.f.)*
hire *v.* engager
hole *n.* un trou *(n.m.)*
holidays *n.* les vacances *(n.f.pl.)*
honey *n.* le miel *(n.m.)*
honk *v.* klaxonner
hook *n.* un crochet *(n.m.)*
hope *v.* espérer
hot air balloon *n.* une montgolfière *(n.f.)*, un ballon à air chaud *(n.m.)*

hot pepper *n.* un piment *(n.m.)*
hovercraft *n.* un aéroglisseur *(n.m.)*
hunt *v.* chasser
hurt *v.* faire mal à

I

ice *n.* la glace *(n.f.)*
illness *n.* une maladie *(n.f.)*
imaginative *adj.* imaginatif, imaginative
improve *v.* perfectionner
included *adj.* inclus(e)
independent *adj.* indépendant(e)
information *n.* un renseignement *(n.m.)*
innovative *adj.* innovateur, innovatrice
instructions *n.* des directives *(n.f.pl.)*
interview *n.* une entrevue *(n.f.)*
investigation *n.* une enquête *(n.f.)*
involved *adj.* impliqué(e)
island *n.* une île *(n.f.)*

J

jaw *n.* la mâchoire *(n.f.)*
jealous *adj.* jaloux, jalouse
job *n.* un emploi *(n.m.)*, un métier *(n.m.)*
join *v.* joindre
juice *n.* le jus *(n.m.)*
jump *v.* sauter

K

keep *v.* garder
keep watch *v.* surveiller
key *n.* une clé *(n.f.)*
kind *n.* un genre *(n.m.)*
king *n.* le roi *(n.m.)*
kingdom *n.* un royaume *(n.m.)*
knowledge *n.* la connaissance *(n.f.)*

L

laboratory *n.* un laboratoire *(n.m.)*
lake *n.* un lac *(n.m.)*
lamb *n.* un agneau *(n.m.)*

land *n.* la terre, *v.* débarquer
landing *n.* un atterrissage *(n.m.)*
landscape *n.* un paysage *(n.m.)*
late *adj.* en retard
lately *adv.* dernièrement
laugh *v.* rire
lay (eggs) *v.* pondre
leaf *n.* une feuille *(n.f.)*
leash *n.* une laisse *(n.f.)*
leave behind *v.* laisser
leech *n.* une sangsue *(n.f.)*
length *n.* la longueur *(n.f.)*
let alone *v.* laisser
level *n.* un étage *(n.m.)*
liar *n.* un menteur *(n.m.)*, une menteuse *(n.f.)*
librarian *n.* un(e) bibliothécaire *(n.m.,f.)*
lid *n.* un couvercle *(n.m.)*
lie *n.* un mensonge *(n.m.)*
light *adj.* léger, légère
lighthouse *n.* un phare *(n.m.)*
limb *n.* un membre *(n.m.)*
live *v.* habiter, vivre
lively *adj.* vif, vive
living room *n.* le salon *(n.m.)*
look like *v.* ressembler
lose *v.* perdre
loudspeaker *n.* un haut-parleur *(n.m.)*
lower *v.* baisser

M

make *v.* fabriquer
mammal *n.* un mammifère *(n.m.)*
management *n.* la gestion *(n.f.)*
manager *n.* un(e) gérant(e) *(n.m.,f.)*
manufacture *v.* fabriquer
map *n.* une carte *(n.f.)*
maple syrup *n.* le sirop d'érable *(n.m.)*
marble *n.* le marbre *(n.m.)*
marry *v.* épouser
marsh *n.* un marais *(n.m.)*
mast *n.* le mât *(n.m.)*

masterpiece *n.* un chef-d'œuvre *(n.m.)*

meal deal *n.* un repas économique *(n.m.)*

meaning *n.* le sens *(n.m.)*

means *n.* des moyens *(n.m.pl.)*

means of transportation *n.* un moyen de transport *(n.m.)*

measure *v.* mesurer

meeting *n.* une réunion *(n.f.)*

meticulous *adj.* minutieux, minutieuse

milkshake *n.* un lait frappé *(n.m.)*

miss *v.* manquer

mix *v.* mélanger

model *n.* une maquette *(n.f.)*

money *n.* l'argent *(n.m.)*

more or less *exp.* à peu près

most *n.* la plupart *(n.f.)*

mountain bike *n.* vélo de montagne *(n.m.)*

mouse *n.* une souris *(n.f.)*

move *v.* se déplacer, bouger, *n.* un déménagement *(n.m.)*

movie shoot *n.* un tournage *(n.m.)*

N

nail polish *n.* le vernis à ongles *(n.m.)*

nearly *adv.* près de

neighbourhood *n.* un quartier *(n.m.)*

network *n.* un réseau *(n.m.)*

New France *n.* la Nouvelle-France *(n.f.)*

news *n.* des nouvelles *(n.f.pl.)*

news report *n.* un reportage *(n.m.)*

next *adj.* prochain(e)

nickname *n.* un surnom, un sobriquet *(n.m.)*

noisy *adj.* bruyant(e)

noodles *n.* des nouilles *(n.f.pl.)*

Northern Lights *n.* l'aurore boréale *(n.f.)*

notice *v.* remarquer

numerous *adj.* nombreux, nombreuse

nutritious *adj.* nourrissant(e)

O

obey *v.* obéir

obtain *v.* obtenir

octopus *n.* une pieuvre *(n.f.)*

office *n.* un bureau *(n.m.)*

oil *n.* l'huile *(n.f.)*

only *adj.* seul(e)

opinion *n.* une opinion *(n.f.)*

order *v.* commander

orientation *n.* l'orientation *(n.f.)*

otter *n.* une loutre *(n.f.)*

out loud *exp.* à voix haute

out at sea *exp.* au large *(n.m.)*

P

padlock *n.* un cadenas *(n.m.)*

pain *n.* la douleur *(n.f.)*

painful *adj.* douloureux, douloureuse

paint *n.* la peinture *(n.f.)*, *v.* peindre

paintbrush *n.* un pinceau *(n.m.)*

painting *n.* un tableau *(n.m.)*

part *n.* une partie *(n.f.)*

party *n.* une fête *(n.f.)*

pass *n.* un col *(n.m.)*

pastry shop *n.* une pâtisserie *(n.f.)*

paw *n.* une patte *(n.f.)*

peacefully *adv.* paisiblement

pedal *n.* une pédale *(n.f.)*

peninsula *n.* une presqu'île *(n.f.)*

perpetrator *n.* un(e) coupable *(n.m.,f.)*

petition *n.* une pétition *(n.f.)*

piece *n.* un morceau *(n.m.)*

pierced *adj.* percé(e)

pioneer *n.* un pionnier *(n.m.)*, une pionnière *(n.f.)*

pique the interest *v.* piquer l'intérêt

pizza slice *n.* une pointe de pizza *(n.f.)*

place *n.* un lieu *(n.m.)*, un endroit *(n.m.)*

plan *v.* planifier

plaster *n.* le plâtre *(n.m.)*

please *v.* plaire

plugged in *adj.* branché(e)

poor *adj.* pauvre

portion *n.* une portion *(n.f.)*

poster *n.* une affiche *(n.f.)*

pottery *n.* la poterie *(n.f.)*

powerful *adj.* puissant(e)

practise *v.* pratiquer, répéter

prayer *n.* une prière *(n.f.)*

praying mantis *n.* une mante religieuse *(n.f.)*

price *n.* le prix *(n.m.)*

priority *n.* une priorité *(n.f.)*

produce *v.* produire

profession *n.* une profession *(n.m.)*

proof *n.* une preuve *(n.f.)*

protect *v.* protéger

prove *v.* prouver

public transportation *n.* le(s) transport(s) en commun *(n.m., n.m.pl.)*

purchase *n.* un achat *(n.m.)*

push *v.* pousser

Q

quilt *n.* une courtepointe *(n.f.)*

R

raise *v.* lever

react *v.* réagir

ready *adj.* prêt(e)

really *adv.* vraiment

recognize *v.* reconnaître

reef *n.* un récif *(n.m.)*

relieve *v.* soulager

represent *v.* représenter

required *adj.* requis(e)

rescue *n.* un sauvetage *(n.m.)*

research *n.* la recherche *(n.f.)*

restless *adj.* agité(e)

retrace *v.* retracer

reveal *v.* révéler

rice *n.* le riz *(n.m.)*

rise *v.* monter

river *n.* un fleuve *(n.m.)*, une rivière *(n.f.)*

rob *v.* cambrioler

rock *n.* un rocher *(n.m.)*

Rocky Mountains *n.* les montagnes Rocheuses *(n.f.pl.)*

room *n.* une salle *(n.f.)*

route *n.* un itinéraire *(n.m.)*

rule *n.* une règle *(n.f.)*

run away *v.* se sauver

rush hour *n.* l'heure de pointe *(n.f.)*

Russian *n.* le russe *(n.m.)*

S

sail *v.* naviguer

sailboat *n.* un voilier *(n.m.)*

sailor *n.* un matelot *(n.m.)*

Saint Lawrence Seaway *n.* le (fleuve) Saint-Laurent *(n.m.)*

salesperson *n.* un vendeur *(n.m.)*, une vendeuse *(n.f.)*

salvage *v.* récupérer

sand *n.* le sable *(n.m.)*

save *v.* sauver

screen *n.* un écran *(n.m)*

script *n.* un scénario *(n.m.)*

sculpture *n.* une sculpture *(n.f.)*

sea *n.* la mer *(n.f.)*

seem *v.* sembler

sell *v.* vendre

send *v.* envoyer

session *n.* une séance *(n.f.)*

set designer *n.* un concepteur *(n.m.)*, une conceptrice de décor *(n.f.)*

several *adj., pron.* plusieurs

share *v.* partager

shark *n.* un requin *(n.m.)*

sharp *adj.* tranchant(e)

shell (of a turtle) *n.* une carapace *(n.f.)*

ship *n.* un navire *(n.m.)*

shipwreck *n.* un naufrage *(n.m.)*

shish kebab *n.* une brochette *(n.f.)*

shoot (film or video) *v.* tourner (un film ou une vidéo)

shopping mall *n.* un centre commercial *(n.m.)*

shoulder *n.* une épaule *(n.f.)*

show *v.* exposer, montrer, *n.* une exposition *(n.f.)*

side *n.* une paroi *(n.f.)*

sign *n.* une enseigne *(n.m.)*
sink *v.* couler
skateboard *n.* une planche à roulettes *(n.f.)*
skates *n.* des patins *(n.m.pl.)*
sketch *n.* une esquisse *(n.f.)*
skin *n.* la peau *(n.f.)*
smoke *n.* la fumée *(n.f.)*
snack *n.* un goûter *(n.m.)*
snack bar *n.* un casse-croûte *(n.m.)*
snake *n.* un serpent *(n.m.)*
snow *n.* la neige *(n.f.)*
snowmobile *n.* la motoneige *(n.f.)*
social worker *n.* un(e) assistant(e) social(e) *(n.m.,f.)*
software *n.* un logiciel *(n.m.)*
someone *pron.* quelqu'un
sometimes *adv.* quelquefois
sound effect *n.* un effet sonore *(n.m.)*
soup *n.* la soupe *(n.f.)*
South America *n.* l'Amérique du Sud *(n.f.)*
Spanish *n.* l'espagnol *(n.m.)*
species *n.* une espèce *(n.f.)*
speech *n.* un discours *(n.m.)*
speed *n.* la vitesse *(n.f.)*
spinach *n.* des épinards *(n.m.pl.)*
sponge *n.* une éponge *(n.f.)*
squirrel *n.* un écureuil *(n.m.)*
stadium *n.* un stade *(n.m.)*
stage *n.* une étape *(n.f.)*
starving *adj.* affamé(e)
state *n.* un état *(n.m.)*
station *n.* la gare *(n.f.)*
steal *v.* voler
steam engine *n.* une locomotive à vapeur *(n.f.)*
steer *v.* diriger
step *n.* une étape *(n.f.)*
sticky *adj.* gluant(e)
sting *v.* piquer
stopwatch *n.* un chronomètre *(n.m.)*
store *n.* un magasin *(n.m.)*
storm *n.* une tempête *(n.f.)*
story *n.* un récit *(n.m.)*

straight *adj.* raide
strait *n.* un détroit *(n.m.)*
string *n.* la ficelle *(n.f.)*
stripe *n.* une bande *(n.f.)*
stubborn *adj.* têtu(e)
substance *n.* une matière *(n.f.)*
subway *n.* le métro *(n.m.)*
subway car *n.* une voiture *(n.f.)*
subway station *n.* une station de métro *(n.f.)*
succeed *v.* réussir
suddenly *adv.* tout à coup, soudain
suggest *v.* suggérer
suitcase *n.* une valise *(n.f.)*
surf the Net *v.* naviguer (sur Internet)
surgical mask *n.* un masque de chirurgie *(n.m.)*
sweet *adj.* sucré(e)
swim *v.* nager
sword *n.* une épée *(n.f.)*
symbol *n.* un symbole *(n.m.)*

T

tail *n.* une queue *(n.f.)*
take a course *v.* suivre un cours
take care of (children) *v.* garder (des enfants)
taste *n.* le goût *(n.m.)*
teacher *n.* un(e) enseignant(e) *(n.m.,f.)*
team *n.* une équipe *(n.f.)*
team spirit *n.* l'esprit d'équipe *(n.m.)*
thanks to *exp.* grâce à
that is (to say) *exp.* c'est-à-dire
theft *n.* un vol *(n.m.)*
theme *n.* un thème *(n.m.)*
thief *n.* un voleur *(n.m.)*, une voleuse *(n.f.)*
think *v.* réfléchir
thousands *n.* des milliers *(n.m.pl.)*
through *prép.* à travers
throw *v.* lancer
thunder *n.* le tonnerre *(n.m.)*
ticket *n.* un billet *(n.m.)*
tired *adj.* fatigué(e)
tongue *n.* la langue *(n.f.)*
tool *n.* un outil *(n.m.)*

toward *prép.* vers

toxic *adj.* toxique

toy *n.* un jouet *(n.m.)*

trainer (of animals) *n.* un dresseur *(n.m.)*, une dresseuse *(n.f.)*

training *n.* la formation *(n.f.)*

transportation *n.* le transport *(n.m.)*

travel *v.* voyager

treat *v.* traiter, soigner (un malade)

tree frog *n.* une rainette *(n.f.)*

trick n. un tour *(n.m.)*

truffle *n.* une truffe *(n.f.)*

trunk *n.* un tronc *(n.m.)*

U

Ugh! *exp.* Pouah!

underground *adj.* souterrain(e)

underwater *adj.* sous-marin(e)

United States *n.* les États-Unis *(n.m.pl.)*

unknown *adj.* inconnu(e)

unlimited *adj.* illimité(e)

use *v.* utiliser

used *adj.* usagé(e)

V

various *adj.* divers(e)

vary *v.* varier

vegetable *n.* un légume *(n.m.)*

venom *n.* le venin *(n.m.)*

vice principal *n.* le directeur adjoint *(n.m.)*, la directrice adjointe *(n.f.)*

voice *n.* la voix *(n.f.)*

volunteer *n.* un(e) bénévole *(n.m.,f.)*

volunteerism *n.* le bénévolat *(n.m.)*

W

waiter, waitress *n.* un serveur *(n.m.)*, une serveuse *(n.f.)*

wake up *v.* se réveiller

wallet *n.* un portefeuille *(n.m.)*

war *n.* la guerre *(n.f.)*

warm up *v.* chauffer

watercolours *n.* les aquarelles *(n.f.pl.)*

wave *n.* une vague *(n.f.)*

way *n.* une façon *(n.f.)*

wear *v.* porter

weasel *n.* une belette *(n.f.)*

weigh *v.* peser

well-being *n.* le bien-être *(n.m.)*

whale *n.* une baleine *(n.f.)*

wheel *n.* une roue *(n.f.)*

which one *pron.* lequel, laquelle

whistle *v.* siffler, *n.* un sifflement *(n.m.)*

win *v.* gagner

wind *n.* le vent *(n.m.)*

witness *n.* un témoin *(n.m.)*

wolf *n.* un loup *(n.m.)*

wood *n.* le bois *(n.m.)*

work *v.* fonctionner, travailler

work of art *n.* une œuvre d'art *(n.f.)*

workshop *n.* un atelier *(n.m.)*

worm *n.* un ver *(n.m.)*

worry *v.* (s')inquiéter

worst le pire *(n.m.)*

wound *n.* une blessure *(n.f.)*

wounded *n.* un(e) blessé(e) *(n.m.,f.)*

wreck *n.* une épave *(n.f.)*

Y

yesterday *adv.* hier

yum yum *exp.* miam-miam

Z

zoo *n.* un parc zoologique *(n.m.)*

Index des références

Références bibliographiques

ILLUSTRATIONS

pp. 6-7 : Tracey Wood; pp. 8-11 : Craig Terlson; pp. 71-74 : Kevin Cheng; pp. 81-83 : Margot Thompson; pp. 89-90 : Gordon Sauvé; pp. 91-93 : Russ Willms; p. 100 : Alan Barnard; p. 124 : Pearson Education; pp. 129-132 : Alan Barnard

PHOTOGRAPHIE

pp. 6-7, 12, 16, 18-19, 20-23, 24, 26, 28-29, 31, 32, 65, 67, 68, 69, 75, 95, 102, 118, 126, 128, 134-135, 140, 143 : Ray Boudreau

PHOTOS

p. 12 (bas) Frank Cezus/FPG, pp. 14-15 (l'encadrement) Photodisc, p. 15 Dorling Kindersley, p. 16 Mark Tomalty/Masterfile (aussi pp. 26, 33, 42, 49, 60, 70, 77, 88, 95, 104, 110, 121, 128, 133, 145), p. 17 Stone (aussi pp. 26, 33, 42, 49, 61, 70, 77, 88, 95, 105, 111, 121, 128, 133, 145), Dorling Kindersley, p. 19 (haut à gauche et à droite) Comstock Photofile, p. 24 (bas) Clive Druett/Papilio/Corbis/Magma, p. 25 Debra Roundtree/Image Bank, p. 27 Everard Williams Junior/Stone, p. 30 Ryan McVay/Photodisc, p. 31 (bas) Art Wolfe/Image Bank, p. 34 (arrière-plan) Wolfgang Kaehler/Corbis/Magma (gauche) Kelly-Mooney Photography/Corbis/Magma, p. 34 (droite) Michael S. Yamashita/Corbis/Magma, p. 35 (haut à gauche) Karl Switek/Corbis/Magma, (bas à gauche) Nik Wheeler/Corbis/Magma, (centre) Tom Brakefield/Corbis/Magma, (haut à droite) Kevin Schafer/Corbis/Magma, p. 36 Kevin Schafer/Corbis/Magma, p. 37 (haut à gauche) David Northcott/Corbis/Magma, (bas) Tom Brakefield/Corbis/Magma, p. 38 (haut) Kevin Schafer/Corbis/Magma, (bas) Bill Varie/Corbis/Magma, p. 39 Desirey Minkoh/AFP/Corbis/Magma, p. 40 (haut) Dorling Kindersley, (bas) Stuart Westmoreland/Image Bank, p. 41 James Balog/Image Bank, p. 43 Paul McCormick/Image Bank, p. 44 (haut) Michael Fogden/Animals/Animals, (bas) C. Wolcott 3rd Henry/National Geographic, p. 45 (haut) George Grall/National Geographic, (centre) Dorling Kindersley, (bas) Gail Shumway/FPG, p. 46 Steve Austin/Papilio/Corbis/Magma, p. 47 (haut) Dorling Kindersley, (bas) Kevin Schafer/Corbis/Magma, p. 48 Wolfgang Kaehler/Corbis/Magma, p. 49 Johnathon Blair/Corbis/Magma, p. 50 (haut à gauche) Werner Bokelberg/Image Bank, (haut à droite) Dave Madison/Stone, (bas à gauche) Steve Skjold/Skjold Photographs-skjoldphotographs.com, (bas à droite) Steve Skjold/Skjold Photographs, p. 51 (haut à gauche) Steve Skjold/Skjold Photographs, (haut au centre) Steve Skjold/Skjold Photographs, (haut à droite) Steve Skjold/Skjold Photographs, (bas à gauche) Johnathon Kim/Stone, (bas au centre) Paul Arthur/Stone, (bas à droite) Pearson Education, pp. 52-53 Steve Skjold/Skjold Photographs, p. 53 (haut) Corbis/Magma, p. 54 (haut) Garth Roberts/Ivy Images, (bas) Kevin Summers/Stone, p. 55 (haut) Omni Communications, (bas) David Samuel Robbins/Corbis/Magma, (bas au centre) Corel Stock Photo Library, (bas en haut) Corel Stock Photo Library, p. 56 Jon Arnold/FPG, p. 57 (haut) Liz & Jeff Van Hoene, (centre) Brian Leatart/Foodpix, (bas) G.K & Vikki Hart, p. 58 Photodisc, p. 59 (haut) Peter Poulides/Stone, (bas) Image Network/Index Stock, pp. 60-61 Pearson Education, pp. 62-63 (arrière-plan) Pearson Education, p. 62 (haut) Keiichi Seto/Photonica, (haut à droite) Photodisc, (bas) *Drawing Hands 1948* by M.C. Escher. © 2001 Cordon Art B.V., Baarn, Holland. All rights reserved., (bas à gauche) Eyewire, p. 63 (droite) Anne Tippin, (bas à droite) Eyewire, (bas au centre) Postel, Claude/Contemporary African Art Collection Ltd./Corbis/Magma, (bas à gauche) Eyewire, (haut à gauche) Tom Szaky, (haut à droite) Eyewire, pp. 64-65 (arrière-plan) Corel Stock Photo Library, p. 64 (haut) Eyewire, (bas à droite) Alice Kelley, www.AliceKelley.com, AK@AliceKelley.com, (bas à gauche) Pearson Education, p. 65 (de haut en bas) Dorling Kindersley, Mauro/Ainaco/Corbis/Magma, Mark J. Tweedie/Ecoscene/Corbis/Magma, p. 66 (arrière-plan) Corel Stock Photo Library, p. 66 (de haut en bas) Publiphoto, MPTV, Dorling Kindersley, Bob Krist/Corbis/Magma, p. 68 (bas) Jean Pierre Schoss/Dog Bite Steel/www.dogbitesteel.com, p. 69 (haut) Jean Pierre Schoss/Dog Bite Steel/www.dogbitesteel.com, p.73 Jean Pierre Schoss/Dog Bite Steel/www.dogbitesteel.com, p. 75 (bas) Jean Pierre Schoss/Dog Bite Steel/www.dogbitesteel.com, p. 76 Jean Pierre Schoss/Dog Bite Steel/www.dogbitesteel.com, pp. 78-79 (haut) Catherine Karnow/Corbis/Magma, p. 78 (bas) Vittoriano Rastelli/Corbis/Magma, p. 79 (bas à gauche) First Light, (bas au centre) James A. Sugar/Corbis/Magma, (bas à droite) Richard Hamilton Smith/Corbis/Magma, p. 80 Publiphoto, p. 84 Robert Holmes/Corbis/Magma, p. 85 Dorling Kindersley, p. 86 Beverly Joubert/National Geographic, p. 87 Wolfgang Kaehler/Corbis, p. 94 Dorling Kindersley, pp. 96-97 (arrière-plan) Natural Resources Canada, p. 96 (gauche) Craig Aumess/Corbis/Magma, pp. 96-97 Mitch Kezar/Stone, p. 97 (centre) François AEF. D'Elbee/Image Bank, (haut à droite) Richard Price/FPG, (bas à droite) Mark Scott/FPG, p. 98 Photodisc, p. 99 (gauche) Musée J. Armand Bombardier, (haut) Rex Butcher/Stone, (bas) Ted Wood/Stone, p. 100 (gauche) David Eperson/Stone, (droite) Picture Finders/FPG, p. 101 (gauche) Barbara Leslie/FPG, (droite) Dorling Kindersley, p. 102 (bas) Gail Shumway/FPG, p. 103 (haut à droite) George Chan/Stone, (bas) John Heseltine/Dorling Kindersley, p. 105 (de gauche à droite) Steve Gordon/Dorling Kindersley, Dorling Kindersley, Philip Gatward/Dorling Kindersley, Dorling Kindersley, Dorling Kindersley, Dorling Kindersley, p. 106 (haut) Dorling Kindersley, (bas) London Transit Museum/Dorling Kindersley, p. 107 (de haut en bas) Ivy Images, Sean O'Neill/Ivy Images, New York City Transit Authority/Dorling Kindersley, Associated Press, p. 108 (de haut en bas) London Transit Museum, (en haut, photo superposée) Harper Collins Publishers Ltd., Carol Havens/Ivy Images, Hulton-Deutsch Collection/Corbis/Magma, p. 109 (gauche) Neil Lukas/Dorling Kindersley, (haut) London Transit Museum, (en bas, photo superposée) New York Transit Authority/Dorling Kindersley, (bas) Associated Press, p. 110 Superstock, p. 111 Paul Edmondson/Stone, pp. 112-113 Cousteau Society/Image Bank, p. 112 (haut) Ghislain&Marie Davis de Lossy/Image Bank, (bas) Photodisc, p. 113 (haut) Paolo Curto/Image Bank, (droite) Photodisc, p. 114 Cedric Loth/Parcs Canada, p. 115 Parcs Canada, (bas à droite) Ron Erwin/Ivy Images, p. 116 (bas à droite) John Warden/Stone, (haut à droite) Al Harvey/Slide Farm, (gauche) Brandon Cole, p. 117 Canada in Stock/Ivy Images, p. 118 (bas) Dorling Kindersley, p. 119 Dorling Kindersley, p. 121 Brian Pitkin/Dorling Kindersley, pp. 122-124 ARSBC, p. 125 Parcs Canada, p. 126 (bas) Dave King/Dorling Kindersley, p. 127 Ralph White/Corbis/Magma, pp. 134-135 Annie Griffiths Belt/Corbis/Magma, Steve Skjold/Skjold Photographs-skjoldphotographs.com, p. 136 Michael Krasowitz/FPG, p. 137 National Geographic World, p. 138 Free the Children, p. 139 Dress-A-Champion program-Ranch Ehrlo Community Services, p. 141 Phil Schermeister/Corbis/Magma

REMERCIEMENTS

Pearson Education Canada tient à remercier les nombreux enseignants et enseignantes qui ont participé à notre projet de révisions éditoriales.

Les éditeurs ont tenté de retracer les propriétaires des droits d'auteurs de tout le matériel dont ils se sont servis. Ils acceptent avec plaisir toute information qui leur permettra de corriger les erreurs de références ou d'attribution.